FRANZÖSISCHE KÜCHE

Lizenzausgabe für
UNIPART VERLAG GmbH,
Remseck bei Stuttgart, 1993

ISBN 38122 3303 7

DR. OETKER

FRANZÖSISCHE KÜCHE

Unipart-Verlag · Stuttgart

Vorwort

Frankreich – das bedeutet Kunst, Kultur und bewußtes Leben. Es ist das Land der Schlösser, Burgen und Klöster, der Könige und Adeligen vergangener Jahrhunderte und heute noch vor allem das kulinarische Zentrum der Welt.

Letzteres begründet sich nicht nur auf dem Reichtum der erstklassigen landwirtschaftlichen Erzeugnisse, sondern auch durch sein *Savoir vivre* und die vielen kreativen Meisterkoche, die schon seit eh und je die Gaumen der zahlreich Verwöhnten befriedigen mußten und dies auch mit Bravour verstanden haben.

Im Angesicht der Fülle gastronomischer Spezialitäten – seien es regionaltypische, klassische oder verfeinerte sowie raffinierte und neue „Kompositionen" – kann dieses Buch nur einen Vorgeschmack oder einen Gaumenkitzel bieten. Wer sich in die Loge der großen Feinschmecker einreihen möchte, muß alle französischen Provinzen erkunden.

Wir wünschen zur Einstimmung oder als Urlaubserinnerung: Bon appétit!

Kulinarisches Frankreich

Alsace et Lorraine

Bretagne et Normandie

Val de Loire

Bordelais et Gasgogne

Languedoc, Roussillon et Provence
Seite 88 bis Seite 101

Lyonnais et Bourgogne
Seite 102 bis Seite 113

Auvergne, Limousin et Perigord
Seite 114 bis Seite 127

Ile de France
Seite 128 bis Seite 137

Landesspezialitäten

Alsace et Lorraine

Durch die wechselvolle Geschichte von Elsaß-Lothringen und die Angrenzung an verschiedene Länder beinhaltet auch die regionale Speisekarte von allem etwas.

Doch es gibt auch typische Lebensmittel und Speisen mit eigener Tradition, wie die *Paté de foie gras* (Gänseleberpastete), die milden Schinken in Blätterteigkruste, die Schweinswürste, den Weichkäse *Munster* und vor allem das berühmte Sauerkraut mit Gänsefett oder Schweineschmalz.

Aus Lothringen bekannt wurde die *Quiche lorraine* (eine Eier-Sahne-Speck-Torte) und der *Potée de lorraine* (eine Krautsuppe mit Fleisch und Speck).

Kulinarische:

Champagne

Die Champagne mit dem Gebirgszug der Ardennen im Norden, der Flüsse Marne und Seine in den Niederungen ist das Land, wo das Leben sprüht. Die Küche ist ganz auf den Wein eingestellt. Er beeinflußt den Charakter aller köstlichen Speisen und begleitet sie.

Die Kennzeichen dieser Region sind der weiße Kalkstein, das weiße Fleisch und der prickelnde weiße Wein. Aus den Flüssen kommen vor-

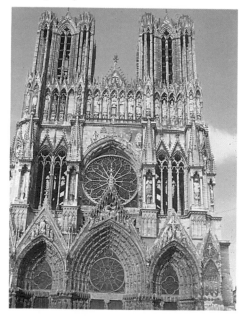

8

Frankreich

Normandie

Die Normandie ist nicht nur das Land der Klöster und Kathedralen, es ist auch das Land, in dem reichlich Sahne und Apfelwein fließen. Jenseits der Küsten erstrecken sich üppige Weideflächen; die darauf grasenden Rinder liefern qualitätsvolles Fleisch, die Kühe fette Milch und Rahm, aus dem hochwertige *Crème fraîche,* nach Nuß schmeckende Butter und besondere Käsesorten hergestellt werden, wie *Neufchâtel, Pont-l-Eveque, Livarot, Pavé d'Auge* und vor allem der allseits bekannte *Camembert.*

Im Pays d'Auge sind die riesigen Apfelbaumplantagen angesiedelt, die die herrlichen Früchte für die vielen typischen Speisen und den täglichen *Cidre* (Apfelwein) sowie den weltbekannten Apfelschnaps *Calvados* liefern.

An der 600 km langen Küste dieses kleinen Paradieses fließt der warme Golfstrom vorbei. Er bringt das milde Klima, die üppige Vegetation und darüber hinaus einen ausgesprochenen Fischreichtum.

Insgesamt bildet die normannische Küche mit den landeseigenen Produkten eine harmonische Einheit, die auf den Grundlagen von Sahne, Butter, Rindfleisch, Meeresfrüchten und Äpfeln basiert. Die Gerichte sind herzhaft und mächtig, ohne derb zu sein.

nehmlich Hechte, Forellen und Lachse; von den Grünweiden Schwein, Kalb und Hammel sowie Huhn. Die ausgedehnten Wälder und die Ardennen bieten Wildschwein, Reh und verschiedenes Wildgeflügel. Als weltweit gerühmte Besonderheit ist der Ardenner Schinken zu nennen.

Weitere Spezialitäten sind Hechtklößchen mit einem jungen, trockenen Champagner oder Schweinshaxe à la Sainte Menehould.

Bretagne

Die Bretagne ist die „Nase" Frankreichs, weit vorgestreckt in den tiefgründigen Atlantik mit seinen verheißungsvollen Genüssen der *Fruits de la mer.*

Und so ist diese Region die Domäne der Fischgourmets: Knurrhähne, Makrelen, Goldbrassen, Merlane, Rochen, Seezungen und Sardinen. Alle zusammen ergeben in entsprechender Komposition die „Bouillabaisse des Atlantiks", genannt *Cotriade.* Darüber hinaus sind es die berühmten Hummer als *Homard à l'Amouricaine,* die *Belon*-Austern und die Jakobsmuscheln, die *Coquilles Saint-Jacques.*

Alles, was dieses Gebiet hervorbringt, hat einen Geschmack nach Meer, denn die Nährkraft des Bodens holen die Menschen aus dem Meersalz und den Algen. Sie sind das wichtigste Lebenselexier. Dies gilt auch für die vielfältig angebauten Gemüsesorten, vorwiegend Kohl, Blumenkohl und Artischocken.

Val de Loire

Das Tal der Loire durchzieht die Regionen von Berry, Orleanais, Tourraine und Anjou. Der große Fluß mit den weißen Sandbänken und das günstige Klima prägen hier die Menschen und ihre Lebensweise.

Die Netze der Loirefischer sind täglich prall gefüllt mit Hecht, Zander, Brasse, Alse, Lachs, Karpfen und Aal.

Auf den fruchtbaren Uferschlammböden gedeihen bestes Gemüse, vor allem weißer Spargel, Artischocken, Schalotten, Möhren und Reineclauden. Viele typische Gerichte werden mit frischen oder getrockneten Pflaumen zubereitet.

Aus den Kalksteinhöhlen kommen die zarten Zuchtchampignons und von den Weinbergen die Trauben für die *Vouvray* (Weißweine) und Roséweine.

Die berühmten *Charolais*-Rinder dieser Gegend liefern die vorzüglichen Filetsteaks. Sahne und Butter bilden die Grundlage für viele schmackhafte Saucen und sind unerläßlich zur Verfeinerung einer erstklassigen Speise.

Bordelais et Gascogne

Bordeaux, das sind die Stadt und der Wein, Bordelais die dazugehörige Landschaft. Hier werden die besten und teuersten Rotweine der Welt hergestellt.

Milde Winter, sonnige Sommer, die durch die Atlantikwinde nie zu heiß werden, freundliche Herbstmonate und die Unterschiedlichkeit der Böden sind die natürlichen Voraussetzungen.

Das Médoc am linken Ufer der Girondemündung liefert die absoluten Spitzenweine: die *Premiers crus*. Ihre wohlklingenden Namen lauten: *Château Lafite-Rothschild, Château Latour, Château Margaux, Château Mouton-Rothschild* und *Château Haut-Brion*.

Neben den über 150 Rotweinen findet man im Bordelais und weiter süd-lich, der Gascogne, auch beachtliche Weißweine, die ausgezeichnet zu den berühmten Austern aus der Bucht von Arcachon passen. Die riesigen Austernfarmen liegen etwa 40 km vor Bordeaux an der Küste.

In und um Chalosse sind die wichtigsten Geflügelzentren Frankreichs: Die gelbfleischigen Maismasthühnchen leben frei in den Wäldern, ebenso die Perlhühner und schwarzen Puten. Aus Gänsen und Enten werden *Foie gras d'oie, Confit de canard* oder die *Rillettes d'oie*.

Noch etwas weiter südlich wird der weltbekannte Bayonner Schinken hergestellt. Hauchdünn geschnitten und mit frischen Feigen oder *Cantaloup-Charentais*-Melonen serviert, schmeckt er vorzüglich.

Auf den Hochflächen um *Roquetfort* weiden die Schafe, aus deren Milch

11

der begehrte gleichnamige Käse stammt. Und die Wälder sind reich an Schnepfen, Bekassinen, Auerhähnen und den *Cèpes,* den Steinpilzen, die alle Wildgerichte aromatisieren. Zum Abschluß eines reichhaltigen Mahls bekommt man hier einen echten *Cognac* aus der oberhalb von Bordeaux gelegenen Region oder einem *Armagnac* aus dem südlichen Departement Gers gereicht.

Languedoc, Roussillon et Provence
Die Landschaften des französischen Südens werden von den Ausläufern der Pyrenäen und vom Mittelmeer bestimmt, darum ist mediterran das Eigenschaftswort der hiesigen Küche.
Fundamentales Gericht des Languedocs und der Touloser Gegend ist das *Cassoulet.*

Das Roussillon liegt an der spanischen Grenze: Katalanisch wird hüben und drüben gesprochen. Der Reichtum dieser klimatisch warmen Landschaft ist das Obst und Frühgemüse.

Im Roussillon und dem Languedoc werden die erstklassigen, köstlichen Spargelstangen mit den violetten Köpfen und der besonders zarte Grünspargel angebaut. Die Erntezeit ist schon ab 15. Februar.
Neben Spargel ist diese Region das Salatparadies. Frankreichs beste Köpfe wachsen während unserer Winterzeit: Kopfsalat, krause Endi-

vie *(Frisée),* glattblättrige Endivie, festköpfiger Batavia, der langköpfige Römer und der Eichblattsalat.
In diesen beiden Regionen ist das größte Weinanbaugebiet Frankreichs und wohl auch der Welt. Es sind preisgünstige Qualitätsweine, oft von überraschender Güte: die kräftigen roten *Côtes du Roussillon, Corbières, Minervois* und *Fitou,* die etwas leichteren *Coteaux du Languedoc.* Die Weißweine werden vor der völligen Reife gelesen und sind fruchtigfrisch. Languedoc-Roussillon ist das Paradies der *Vins de Pays,* der französischen Landweine.

12

Die provençalische Küche ist reich an Obst, Gemüse und auch an Meeresfrüchten. Vor allem Miesmuscheln und Austern werden im Becken von Thau gezüchtet. Mittelmeermuscheln sind größer als die aus dem Atlantik und dem Ärmelkanal. Daneben gibt es ein Dutzend weiterer eßbarer Muscheln und Schnecken, *Crabes* und *Tourteaux* (Taschenkrebse), Crevetten, Langoustinen, Langusten und Hummer.

Ob Feinschmecker nun die über alle Grenzen bekannte *Bouillabaisse* aus Marseille oder die *Bouillinade* aus dem Roussillon bevorzugen, in einigen Dingen sind sich die Köche einig: Olivenöl muß sein, Knoblauch muß sein, festfleischige Fische müssen sein, zartfleischige Fische müssen sein, und Safran muß sein. Suppe und Fisch werden getrennt serviert.

Lyonnais et Bourgogne

Das Departement Ain in der ehemaligen Region Bresse zählt die meisten Sterne-Restaurants Frankreichs; und Lyon, die Hauptstadt der Region Lyonnais, trägt die Auszeichnung „Weltstadt der Gastronomie". Dies ist nicht verwunderlich, wenn man die Produktion eines Schlaraffenlandes verarbeiten kann.

Hier nur einige der zu Weltruhm gelangten Erzeugnisse:

Das *Poulet de Bresse* ist das absolute Spitzenprodukt des französischen Geflügels, einzigartig auch versehen mit der Appellation d'Origine Controlée.

Der bekannteste Käse aus dem Lyonnais ist der *Bleu de Bresse*, ein Weichkäse, der im Innern blau mamoriert ist. Er übertrifft in seiner Milde alle anderen blauen Käsesorten.

Die bemerkenswerte Wurst, die *Lyoner*, hat nichts mit der gleichnamigen deutschen Wurst zu tun, sondern ist eine langsam getrocknete Dauerwurst mit viel magerem Fleisch und Fettwürfeln.

Eine Delikatesse sind auch die Eßkastanien oder Maronen.

Der fließende Übergang des Feinschmeckerparadieses führt nach Burgund. Hier denkt man als erstes und zu Recht an die großen Weine. Drei Anbaugebiete bringen die mannigfaltigen Berühmtheiten hervor: im Departement Yonne, im Côte d'Or und im Saone-et-Loire. Einige der

In den zahllosen Weinbergen finden Schnecken überreichlich Nahrung, und so sind die *Escargots à la Bourguignonne* mit Knoblauch-Kräuter-Butter eine weitere Berühmtheit. Der Rundgang durch die burgundische Küche hat noch einige obligate Stationen: *Coq au Vin* (Huhn in Rotwein), *Poularde demi-deuil* (Hähnchen in Halbtrauer), *Coq au Chambertin* (Wachteln nach Art der Winzerin), *Cuisses de grenouilles* (Froschschenkel), *Pauchose* (eine Fischsuppe aus Süßwasserfischen). Beim nachfolgenden Käsegang sind es *Epoisses, Citeaux des moines, Soumaintrain, Saint-Floretin, Boutons de Culotte* und der zylinderförmige *Chaource,* der schon mehr zur Champagne gehört.

wertvollen „Juwelen" heißen: *Chablis, Chambertin, Musigny, Romanée, Clos, Vougeot, Pommard, Volnay, Meursault, Montrachet, Moulin à Vent, Fleurie, Juliénas, Saint-Amour, Chénas, Brouilly, Chirouble, Morgon* und *Beaujolais.* Der junge Beaujolais, *Beaujolais Primeur,* wird jedes Jahr am 15. November für den Verkauf freigegeben.
Die Stadt Dijon ist bekannt für den *Cassis.*
Dijon ist aber auch die Senfhauptstadt Frankreichs. Die würzige Schärfe des Dijonsenfs paßt gut zu dem roten Fleisch des *Charolais*-Rindes. Die bekannteste Spezialität des Landes heißt *Bœuf bourguignonne* in Rotwein gedünstet, mit Champignons und Speckstreifen serviert.

Auvergne, Limousin et Périgord

Das Zentralmassiv der Auvergne mit erloschenen Vulkanen, klaren Bächen und weiten Weiden scheint auf den ersten Blick wenig kulinarisch. Doch das, was die Auvergner aus ihrem Vieh, aus der Milch, dem Geflügel, den Beeren, Kastanien, Nüssen und Pilzen machen, sind herzhafte Dinge, ohne Schnörkel und Raffinesse, doch von bester Qualität.

Man liebt kräftige Suppen, wie die *Mourtairol* (Käsesuppe aus Canatal); ein *Pot-au-feu* aus Ochsenfleisch, Schinken, Huhn und Safran; die *Cousinat* genannte Kastaniensuppe und die *Potée Auvergnate,* ein Kohleintopf, in den Räucherspeck und Schweinewürste gehören.
Steinpilze, Pfifferlinge, Morcheln und die würzigen *Mousserons* sind reichlich vorhanden und passen ausgezeichnet zu den vielen Wild- und Geflügelsorten.

Der *Cantal,* ein harter Kuhmilchkäse, reift in den vulkanischen Steinkellern des Departements Cantal. Die Laibe sind bis 40 Kilogramm schwer. Ihm verwandt ist der *Salers* mit etwas festerem, gelberem Teig. Er stammt von Kühen, die auf über 850 Meter hohen Weiden leben. Der halbfeste Schnittkäse *Saint-Nectaire* weist sich durch einen milden nußig-erdigen Geschmack aus. Der *Bleu d'Auvergne* ist ein Blauschimmelkäse aus Kuhmilch mit festem Teig, der auch vollreif nicht bröckelig wird; er schmeckt aromatisch, aber nicht so scharf wie der *Roquefort.* Noch milder ist der *Fourme de Montbrison* oder *Fourme d'Ambert,* der wie ein Stück Baumstamm aussieht; unter der rissig braungrauen Rinde zeigt sich ein dicht von blaugrünen Schimmeladern durchzogener Teig.

Im Limousin wird eine Fleisch-Rinderrasse gezüchtet, die das ganze Jahr auf der Weide lebt. Die liefert die vorzüglichen *Tournedos* und Kalbskeulen. Typisch ist auch die *Bréjaude,* eine ländliche Suppe aus frischem Gartenkohl. Zum Nachtisch liebt man es süß: *Galetou* mit Honig oder Blaubeerkonfitüre, *Clafoutis* mit dunklen Kirschen oder die *Madeleines,* die kleinen Sandkuchen.

Der Périgord ist für seine Gänse- und Entenzucht bekannt. Dort kocht man meistens mit Gänsefett. Aus Gänselebern werden Blocks, Parfaits,

Pasteten und Pürees hergestellt, häufig zusammen mit der schwarzen *Périgord*-Trüffel, die von November bis März gesucht und gefunden wird. Man bereitet auch einfache Geflügelterrinen sowie Kaninchen-, Hasen- und Rebhuhnpasteten. Gänse-*Confit* sind im eigenen Fett eingelegte und haltbar gemachte Gänsestücke.

Paris et Ile de France

Paris, die Hauptstadt der Ile de France und des ganzen Landes, gilt weltweit als **die** Metropole der kulinarischen Genüsse. Die Haute Cuisine hat hier ihren Ursprung und ihre Begründung. Alle namhaften Meisterköche der vergangenen Jahrhunderte und Jahrzehnte wirkten in einem der noblen Restaurantes dieser Stadt. Sie überboten sich in der Kreation täglich abwechselnder, verfeinerter und raffinierter Speisen für die verwöhnten Gaumen der Wohlhabenden und Adeligen. Nur das Beste vom Besten aus allen Regionen

Frankreichs wurde verarbeitet und „komponiert". Jeden Morgen kaufte man sämtliche Zutaten frisch in den legendären Hallen, die schon im 12. Jahrhundert erbaut wurden.

Auch heute ist Paris noch immer der Treffpunkt und Austausch gastronomischer Superlative. Aber man muß nicht mehr zur Aristokratie gehören, um eine der berühmt gewordenen, typischen Köstlichkeiten dieser Stadt genießen zu können: das *Tournedo Rossini*, den *Merlan Bercy*, das *Poulet braisé Finanvière*, die *Sauce Béarnaise*, die *Sauce Mornay*, die Zwiebelsuppe und nicht zuletzt die feinen Patisserien.

Die Ile de France, das grüne Pariser Becken, ist das beliebteste sonntägliche Ausflugsziel der Feinschmecker.

Frankreichs Weine

Keine typisch französische Familie setzt sich zum Essen nieder, ohne dazu Wein zu trinken, denn Wein gehört zur Eßkultur. Darum ist in Frankreich ein Essen ohne Wein so selten wie Wein ohne Essen. Diese Tisch- und Trinksitte erklärt auch, warum in Frankreich die meisten Weine durchgegoren – das heißt trokken – sind.

Dennoch gibt es eine ganze Reihe süßer Weine, die hervorragend zu Desserts passen oder sich gut gekühlt als Aperitif eignen.

Wein war bis weit ins 19. Jahrhundert hinein ein Alltagsgetränk, zumeist mehr oder weniger leicht und einfach. Die „Spitzengewächse" aus besonders bevorzugten Lagen und besonders gepflegten Kellern waren dem Adel, der hohen Geistlichkeit und dem reichen Bürgertum vorbehalten.

Heute regiert generell das Prinzip: Qualität geht vor Quantität. Die Philosophie der französischen Winzer besagt, daß je weniger Trauben der Rebstock trägt, um so besser der Wein wird.

Aufgrund dieses Bestrebens wurde schon 1937 das Institut National des Appelllations d'Origine des Vins et Eaux-de-Vie gegründet. Es ist die oberste Instanz in Sachen Wein. Ihr obliegt die Einstufung aller Weine in die Qualitätskategorien.

Was die Etikettenbezeichnung besagt.

Appellation d'Origine Controlée (A-O.C.) bedeutet kontrollierte Ursprungsbezeichnung. Diese Weine stellen die höchste Qualitätsstufe dar, wobei die Qualitätsleiter innerhalb dieser Kategorie nocht einmal steigt, und zwar vom Anbaugebiet zum Bereich und weiter von der Gemeinde zur Lage.

Appellation d'Origine Vin Délimité de Qualité Supérieure (V.D.Q.S.) besagt, daß es sich um einen Wein hoher Qualität handelt. Das Anbau-

gebiet ist auf dem Etikett verzeichnet. *V.D.Q.S.*-Weine sind die erste Stufe der Qualitätsweine und werden, wenn sie die höheren Anforderungen der *A.O.C.*-Weine erfüllen, in diese Gruppe aufgenommen.
Vin de Pays heißt Landwein. Diese Weine kommen aus bestimmten Gegenden, die auf dem Etikett vermerkt werden. Dort steht entweder der Name des Herkunfts-Départements oder der Produktionszone.
Vin de Table ist ein Tafelwein. Diese Tischweine tragen einen Markennamen. Er garantiert einen immer

gleichbleibenden Geschmack, denn diese Weine dürfen aus verschiedenen Anbaugebieten miteinander vermischt werden.
Crémant ist die Bezeichnung für Qualitätsschaumwein mit Appellation Controlée, der nach der *Méthode champenoise,* der Champagnerbereitung benanntes kostpieliges und langwieriges Verfahren hergestellt wird. Obligatorisch sind Flaschengärung sowie mindestens neunmonatige Lagerung in der Flasche.
Cuvée ist beim Champagner die Kombination aus Grundweinen ver-

schiedener Lagen, Rebsorten und Jahrgängen, aber alle aus einem einzigen Anbaugebiet. Dieses *Cuvée* bestimmt den Charakter und den Geschmack der Marke.

Brut ist die französische Bezeichnung für extratrockenen Champagner oder anderen französischen Qualitätsschaumwein. Er enthält im Durchschnitt 5–8 g/l Zucker, der nach der zweiten Gärung in der Flasche zugesetzt wird. Geschmacksrichtungen mit mehr Dosierungslikör heißen *sec* (trocken), *demisec* (halbtrocken) und *doux* (süß).

Blanc de Blancs besagt, daß der Wein und besonders der Schaumwein aus weißen Trauben hergestellt ist, denn der Großteil des Champagners wird aus roten Trauben „weiß" gekeltert, das heißt, es fermentiert nur der Traubensaft ohne die den roten Farbstoff enthaltende Schale.

Domaine ist die Bezeichnung eines Winzerbetriebes. Der Begriff darf nur bei den Qualitäts- und Landweinen verwendet werden.

Château ist ebenfalls ein Weingut, aber mit eigener Weinlage und eigener Weinbereitung. Die Bezeichnung ist nur für Qualitätsweine zulässig.

Cru ist die höchste Klassifizierung für absolute Spitzenlagen. Im Bordeauxgebiet sind sie teilweise schon seit 1855 als *Cru classé* festgelegt. In der Champagne und Burgund sind es die *Grand cru* oder *Premier cru,* im Elsaß die *Grand Cru.*

Mis en Bouteille à la Propriété oder *Mis d'Origine* oder *Mis en Bouteille dans la Région de Production* heißt, daß dieser Wein beim Erzeuger oder im Anbaugebiet und nirgendwo anders in Flaschen abgefüllt wurde. Dieser Hinweis steht auf dem Etikett und dem Korken.

Primeur und *Nouveau* ist die Bezeichnung für jungen, frischen Rotwein, der kurz nach Abschluß einer schnellen Fermentation abgefüllt wird und wenige Monate später getrunken sein sollte. Als *Primeur* dürfen nur Qualitäts- und Landweine verkauft werden. Tafelweine können die Bezeichnung *Nouveau* tragen.

Was noch wissenswert ist

Der Jahrgang spielt bei den französischen Weinen keine so große Rolle, denn im allgemeinen bekommt dieser Wein genügend Sonne und wächst in einem ausgeglichenen Klima, das heißt, die Jahrgänge variieren nicht so stark wie bei uns.

Wichtiger aber für den Genuß französischer Weine ist die Temperatur, mit der sie serviert werden. Bukett und Geschmack können sich nur bei richtiger Temperierung voll entfalten.

Liebliche und likörartige Weißweine, Süßweine, Schaumweine und Champagner sollen mit etwa 6°C getrunken werden; trockene Weißweine und Roséweine zwischen 8 und 12°C; leichte und fruchtige Rotweine mit 10 bis 12°C; große und kräftige Rotweine mit 15 oder 16°C; exquisite Rotweine mit 18°C.

Frankreichs Käse

In keinem Land der Welt werden so
viele unterschiedliche Käsesorten
hergestellt wie in Frankreich. Weit
über 400 Sorten und über 1000 Mar-
ken sind es mittlerweile, und immer
wieder erscheinen neue Produkte der
französischen Milchwirtschaft auf
dem Markt.

Dieser fast unübersehbare Reichtum
hat mehrere Wurzeln: Da ist zum
einen die Vielfalt der Landschaften,
die fetten, saftigen Wiesen in Mee-
resnähe; die würzigen Bergweiden
der Auvergne, des Jura und der
Vogesen, auf denen Kühe verschie-
dener Rassen grasen. Da sind die
Flußtäler der Loire und Rhône, wo
Ziegen am Rand der Weinberge ihr
Futter suchen, und die karstigen
Hochflächen der Provence, des
Languedoc und der Pyrenäen, wo nur
Schafe ihr Auskommen finden.
Da sind vor allem aber die Menschen, die seit vielen Generationen
mit Sorgfalt, Fleiß und Kunstfertig-
keit aus der Milch ihrer Herden das
Beste zu machen verstehen. Und
nicht zuletzt alle Franzosen, die diese
Individualität, diesen Reichtum ihrer
Käseplatte als Teil ihres *Savoir vivre*
zu schätzen und zu genießen wissen.
So unterschiedlich diese ausgezeich-
neten Käse im Aussehen, in der Kon-
sistenz und im Geschmack sind, eines
haben sie alle gemeinsam: Sie werden
nach altüberlieferten Rezepten aus-
schließlich in ihrer genau umgrenzten
Region und aus der weitgehend
naturbelassenen Milch bestimmter
Kuh-, Schaf- oder Ziegenrassen hergestellt. „Naturbelassen" heißt, die
Milch wird weder pasteurisiert noch
homogenisiert oder im Fettgehalt
eingestellt – sie wird so verwendet,
wie sie gemolken wurde.
Rohmilchkäse werden während der
Reifung und beim Transport sorgfältig überwacht. Zu hohe oder zu nied-
rige Temperaturen, zu viel oder zu
wenig Luftfeuchtigkeit – das alles
kann den Reifeprozeß unterbrechen
und den Wohlgeschmack stören.
Man sollte sie deshalb immer mit der
gebührenden Aufmerksamkeit
behandeln – sie lohnen es mit vollen-
detem Käsegenuß.

Alsace
et
Lorraine

Toast au foie gras
Gänseleberpastete auf Toast
(Foto S. 22/23)

1 Päckchen Gelatine gemahlen, weiß
5 Eßl. kaltes Wasser
250 ml (¼ l) Wasser oder Instant-
Fleischbrühe
2 Eßl. Madeira
Salz
4 runde, ausgestochene
Toastbrotscheiben
4 Scheiben Gänseleberpastete (etwa
100 g aus der Dose)
4 Scheiben Trüffel (aus der Dose)
Petersilie

Die Gelatine mit dem Wasser
(5 Eßl.) anrühren, 10 Minuten zum
Quellen stehenlassen, unter Rühren
erwärmen, bis sie gelöst ist, kühl stellen.
Die lauwarme Gelatinelösung mit
dem Wasser oder der Fleischbrühe
(250 ml) verrühren, Madeira hinzufügen. Mit Salz würzen. Die Gelatineflüssigkeit auf eine flache Platte gießen, erstarren lassen, in Würfel
schneiden.
Die Toastbrotscheiben nach Belieben
toasten. Auf jede Toastbrotscheibe
jeweils eine Scheibe Gänseleberpastete und eine Trüffelscheibe legen,
mit den Geleewürfeln und Petersilie
garnieren.

Tarte à l'oignon
Zwiebelkuchen

200 g Weizenmehl
1 gestrichener Teel. Backpulver
3 Eßl. Wasser
½ gestrichener Teel. Salz
100 g Butter oder Margarine
Belag:
500 g Zwiebeln
50 g Butter
125 ml (⅛ l) Milch
Salz
Pfeffer
1 Eßl. Speisestärke
1 Eßl. kaltes Wasser
100 g durchwachsener Speck
2 Eigelb
3 Eßl. Schlagsahne

Für den Teig das Mehl mit dem Backpulver mischen.
Wasser, Salz und Fett hinzufügen.
Die Zutaten mit einem Handrührgerät mit Knethaken zunächst auf niedrigster, dann auf höchster Stufe gut
durcharbeiten. Anschließend auf der
Tischplatte zu einem glatten Teig verkneten. Sollte der Teig kleben, ihn
eine Zeitlang kalt stellen.
Den Teig etwas größer als den Boden
einer Pieform (Durchmesser etwa
28 cm) ausrollen und in die Form
legen. Den Teig am Rand etwa 2 cm
hochdrücken. Den Teigboden mehrmals mit einer Gabel einstechen. Die
Form in den auf 200–225 Grad (Gas:
4–5) vorgeheizten Backofen schie-

ben, in 15–20 Minuten hellgelb
backen.
Für den Belag die Zwiebeln abziehen
und in Ringe schneiden. Die Butter
zerlassen, die Zwiebelringe darin
andünsten. Die Milch hinzugießen,
mit Salz, Pfeffer würzen, zum
Kochen bringen und in etwa 10 Minuten gar kochen lassen.
Die Speisestärke mit Wasser anrühren, zu den Zwiebeln geben und kurz
aufkochen lassen. Den Speck in Würfel schneiden.
Eigelb mit Sahne verschlagen und mit
den Speckwürfeln unter die Zwiebeln
rühren. Das Zwiebelgemüse auf dem
vorgebackenen Tortenboden verteilen. Die Quiche wieder in den auf
200–225 Grad (Gas: 4–5) vorgeheizten Backofen schieben, in 45–60
Minuten gar backen lassen.
Getränk: Elsässer Weißwein, z. B.
ein Sylvaner.

Choucroute alsacienne
Sauerkraut auf elsässische Art

250 g Bauchfleisch	
500 g Eisbein	
1 Zwiebel	
3 Nelken	
40 g Gänsefett oder Schweineschmalz	
1–1½ kg Sauerkraut	

250 g durchwachsener Speck
250 g geräucherte Schweineschulter
2 abgezogene Knoblauchzehen
5–6 Wacholderbeeren
1 Lorbeerblatt
250 ml (¼ l) Weißwein
4 Brühwürstchen
Salz
Pfeffer

Das Fleisch unter fließendem kaltem
Wasser abspülen und trockentupfen.
Die Zwiebel abziehen und mit den
Nelken spicken.
Das Fett zerlassen und die Hälfte des
Sauerkrauts hineingeben.
Bauchfleisch, Eisbein, Zwiebel,
Speck, Schweineschulter, Knob-
lauchzehen und Lorbeerblatt auf das
Sauerkraut geben. Mit dem restli-
chen Sauerkraut bedecken. Den
Wein darüber gießen, das Gericht
zum Kochen bringen und in 1½–1¾
Stunden gar kochen lassen. Zwi-
schendurch das Fleisch ab und zu
wenden. Kurz vor Beendigung der
Garzeit die Brühwürstchen miterhitzen.
Das gare Fleisch in Scheiben schneiden. Das Sauerkraut evtl. mit Salz
und Pfeffer abschmecken und auf
eine vorgewärmte Platte geben.
Fleisch und Würstchen darauf anrichten. Nach Belieben Salzkartoffeln
oder Kartoffelbrei mit auf der Platte
anrichten.
Getränk: Elsässer Weißwein, z. B.
ein Riesling trocken.

Quiche Lorraine
Lothringer Specktorte
(Foto S. 27)

Teig:
250 g Weizenmehl
1 Eigelb
Salz
4 EßI. Wasser
125 g Butter
Belag:
80 g Schweizer Käse
120 g durchwachsener Speck
125 ml (⅛ l) Schlagsahne
4 Eier
Salz
Pfeffer
geriebene Muskatnuß
1 Eigelb
etwas Kondensmilch

Für den Teig das Mehl in eine Rühr-schüssel sieben. Eigelb, Salz, Wasser und die in kleine Stücke geschnittene Butter darauf geben.

Die Zutaten mit einem Handrührge-rät mit Knethaken zunächst auf nied-rigster, dann auf höchster Stufe gut durcharbeiten, anschließend auf der Tischplatte zu einem glatten Teig ver-kneten.

Den Teig etwas größer als den Boden einer Sprungform (Durchmesser etwa 28 cm) ausrollen in die gefettete Form legen und am Rand etwa 2 cm hochdrücken. Den Boden mehrmals mit einer Gabel einstechen.

Die Form auf dem Rost in den auf 200–225 Grad (Gas: Stufe 4–5) vorge-heizten Backofen schieben und etwa 15 Minuten vorbacken.

Für den Belag den Käse in feine Streifen schneiden.

Den Speck würfeln, andünsten und mit Käse, Sahne und Eiern verrüh-ren.

Die Masse mit Salz, Pfeffer und Mus-katnuß würzen.

Die Masse auf dem vorgebackenen Boden verteilen.

Die Form wieder in den 200–225 Grad (Gas: Stufe 4–5) vorgeheizten Backofen schieben und etwa 25 Minuten backen.

Getränk: Halbtrockener Rosé, z. B. ein Rosé d' Anjou.

Variation: Würziger schmeckt der Belag, wenn er mit 2–3 Eßl. gemisch-ten Kräutern, z. B. Petersilie, Ker-bel, Estragon, Pimpinelle, Schnitt-lauch verrührt wird.

Tip: Die Lothringer Specktorte wird warm serviert. Beliebte Beilagen sind Kopf- oder Chicoréesalat mit Wal-nußkernen – und natürlich immer ein Glas Wein.

27

Plateau de viande alsacien
Elsässer Fleischplatte

1 Schweinezunge
500–750 g Hohe Rippe
1 l kochendes Salzwasser
2 Zwiebeln
2 säuerliche Äpfel
1 Schweinshaxe (in Scheiben geschnitten)
Salz
Pfeffer
2 Eßl. Schweineschmalz
1½ kg Sauerkraut
Wacholderbeeren
Pfefferkörner
300 g durchwachsener Speck
375 g geräucherte Rippchen
250 ml (¼ l) Wasser
250 ml (¼ l) Weißwein
1 Kartoffel
2 Paar Wiener Würstchen
1 Stück Zungen- oder Rotwurst

Die Schweinezunge unter fließendem kaltem Wasser abspülen und trockentupfen. Den Schlund abschneiden und die Zunge so lange waschen und bürsten, bis der Schleim entfernt ist. Die Hohe Rippe ebenfalls abspülen und mit der Zunge in das Salzwasser geben. Das Wasser zum Kochen bringen. Das Fleisch hineingeben, zum Kochen bringen und in etwa 2 Stunden gar kochen lassen (die Zunge ist gar, wenn sich die Spitze weich einsticht).

Die Zwiebeln abziehen und würfeln. Die Äpfel schälen, vierteln, entkernen und in Scheiben schneiden. Die Schweinshaxe unter fließendem kaltem Wasser abspülen, trockentupfen und mit Salz und Pfeffer bestreuen.

Das Schweineschmalz in einem Kochtopf erhitzen.

Abwechselnd Sauerkraut mit den Zwiebelwürfeln, den Apfelscheiben, den Schweinshaxenscheiben, Wacholderbeeren, Pfefferkörnern, dem Speck und den Rippchen in den Kochtopf schichten. Jede Schicht mit Salz bestreuen.

Wasser und Weißwein darüber gießen und alle Zutaten etwa 1½ Stunden zugedeckt schmoren lassen.

Die Kartoffeln schälen, waschen, reiben und zu den Schmorzutaten geben.

Würstchen und Zungenwurst (Rotwurst) auf die Zutaten geben und etwa 15 Minuten miterhitzen.

Die gare Zunge und das Fleisch aus der Brühe nehmen.

Das Fleisch von den Knochen lösen und in Portionsstücke schneiden.

Die Zunge kalt abspülen, die Haut abziehen, solange die Zunge heiß ist, das knorpelige Ende ablösen und die Zunge in Scheiben schneiden.

Das Sauerkraut mit Salz abschmekken und auf eine vorgewärmte Platte geben.

Fleisch, Wurst und Zunge darauf anrichten.

Filet de sandre à la sauce pavot
Zanderfilet in Mohnsauce

Für den Fisch:
4 Zanderfilets (je etwa 200 g)
Saft 1 Zitrone
Salz
weißer Pfeffer
250 g Weizenmehl
50 g Butter
Für die Sauce:
125 ml (⅛ l) Weißwein
3 Eigelb
2 EBl. gemahlener Mohn
200 g Butter
Saft ½ Zitrone

Die Zanderfilets unter fließendem kaltem Wasser abspülen, trockentupfen und mit Zitronensaft beträufeln. Fisch mit Salz und Pfeffer würzen und in Mehl wenden.
Die Butter (50 g) in einer Pfanne zerlassen und die Filets in etwa 10 Minuten goldbraun braten, warm stellen. Für die Sauce 2 EBl. Weißwein abnehmen. Den restlichen Wein aufkochen, über den Mohn gießen und quellen lassen. Die Butter (200 g) zerlassen. Das Eigelb mit den 2 EBl. Weißwein im Wasserbad schaumig aufschlagen.
Die Butter in dünnem Strahl zugießen, dabei weiterschlagen, bis eine sämige Sauce entstanden ist. Zitronensaft hinzufügen.

Die Sauce von der Kochstelle nehmen, den Mohn unterrühren und mit Salz und Pfeffer abschmecken, zu den Zanderfilets reichen.
Als Beilage passen Petersilienkartoffeln und Salat.
Getränk: Trockener elsässer Weißwein, z. B. ein Riesling.

Omelette vosgienne
Omelett nach Vogesen Art

75 g durchwachsener Speck
75 g Schweizer Käse
8 Eier
Salz
Pfeffer
4 EBl. Schlagsahne
30 g Butter

Den Speck und den Käse in Würfel schneiden.
Die Eier mit Salz, Pfeffer und Sahne verschlagen. Speck- und Käsewürfel dazugeben.
Die Butter zerlassen, die Eiermasse hineingeben, mit einer Gabel durchrühren, bis sie zu stocken beginnt (das Omelett sollte auf der Oberfläche noch etwas weich sein).
Nach Belieben die eine Seite des Omeletts von der Stielseite der Pfanne zur Mitte, die andere Seite des Omeletts ebenfalls zur Mitte hin aufrollen und auf eine vorgewärmte Platte gleiten lassen.

Hors-d'oeuvre de la jardinière

Vorspeisenteller

(Etwa 6 Portionen – Foto S. 31)

---

6 Artischocken (ersatzweise Artischockenböden aus der Dose)
125 ml (⅛ l) Zitronensaft
150 g Keniabohnen
750 g Spargel (12 Stangen frisch, ersatzweise aus der Dose)
1 Eßl. Butter
Zucker
Salz
3–4 Stangen Staudensellerie
12 Flußkrebse (vom Fischhändler kochen lassen)
1 Fleischtomate (300 g)
1 kleine schwarze Trüffel (10–15 g, frisch, ersatzweise aus der Dose)
2 Töpfe Kerbel
1 Bund Schnittlauch
1 Topf Estragon
2 Teel. Dijon-Senf
1 Eßl. Rotweinessig
6 Eßl. Speiseöl
weißer Pfeffer aus der Mühle
2 Eßl. Weißweinessig
1 Messerspitze abgeriebene Zitronenschale (unbehandelt)
2 Teel. Schalotten (feingehackt)
1 Teel. feingehackte Petersilie
3 Eßl. Haselnußöl
2 Eßl. Crème fraîche
1 Eßl. süßer Senf
150 g feste weiße Champignons

Die Stiele der Artischocken abbrechen. Die Blätter 2 cm oberhalb des Bodens abschneiden.
2 l Wasser mit 1 Eßl. Zitronensaft zum Kochen bringen. Die Artischockenböden 40–45 Minuten darin kochen, dann im Sud kalt werden lassen.
Die Bohnen waschen und putzen. Den Spargel schälen und die Stangen evtl. auf 10 cm kürzen, die unteren Abschnitte anderweitig verwenden.
500 ml (½ l) Wasser mit Butter, Zucker und Salz zum Kochen bringen.
Den Spargel zum Kochen bringen, in 8–10 Minuten darin garen und kalt werden lassen.
Den Staudensellerie waschen, putzen und in dünne Scheiben schneiden.
Die Krebsschwänze aus der Schale brechen und das Fleisch aus den Scheren lösen. Die Bohnen in kochendes Salzwasser geben, in 6–8 Minuten garen. In Eiswasser abschrecken.
Die Tomate kurz in kochendes Wasser legen, in kaltem Wasser abschrecken, enthäuten und den Stielansatz herausschneiden.
Die Tomate sechsteln. Die Kerne herauskratzen.
Die Trüffel schälen und würfeln. Schale und Sud (bei Trüffel a. d. Dose) anderweitig verwenden.
Die Artischockenböden vom Heu befreien, die dunklen Teile abschneiden. Mit etwas Zitronensaft beträufeln.
Kerbel und Estragon unter fließen-

Fortsetzung S. 32

31

dem kaltem Wasser abspülen und hacken.

Schnittlauch unter fließendem kaltem Wasser abspülen, in Röllchen schneiden.

Zuerst die Vinaigrette für die Artischocken zubereiten:
1 Teel. Dijonsenf mit Rotweinessig und 1 Eßl. Wasser verrühren. Die Hälfte vom Schnittlauch und vom Kerbel und den Estragon unterrühren.

Dann 3 Eßl. Speiseöl darunter rühren. Mit Salz und Pfeffer würzen.

Die Artischockenböden mit der Vinaigrette begießen und durchziehen lassen.

Für die Bohnen die Hälfte des restlichen Dijonsenf mit 1 Eßl. Weißweinessig, der Zitronenschale, Salz, Pfeffer und dem restlichen Öl verrühren. Die abgetropften Bohnen damit übergießen.

Für den Spargel die Schalottenwürfel mit dem restlichen Weißweinessig, 1 Eßl. Wasser, der Petersilie, Salz, Pfeffer und dem Nußöl verrühren. Den Spargel damit übergießen.

Crème fraîche, süßen Senf und 1 Teel. Zitronensaft verrühren. Die restlichen Kräuter zugeben und mit Salz und Pfeffer würzen.

Die Champignons putzen, unter fließendem kaltem Wasser abspülen und in dünne Scheiben schneiden. Mit der Crème fraîche-Mischung vermengen. Den Staudensellerie mit dem restlichen Zitronensaft begießen und salzen.

Auf jeden Teller zwei Spargelstangen, einen Artischockenboden und zwei Krebsschwänze legen und mit dem verschiedenen Gemüse und den Pilzen anrichten.

Die Trüffelwürfel auf den Spargelstangen verteilen und jeweils eine Tomatenspalte zu den Krebsschwänzen legen. Sofort servieren.

Coq au vin
Huhn in Wein

2 küchenfertige Hähnchen
Salz
Pfeffer
2 Eßl. Weizenmehl
3 Eßl. Speiseöl
200 g kleine Champignons
100 g Butter
1 Glas Perlzwiebeln
(Einwaage etwa 185 g)
250 ml (¼ l) Riesling
1 Lorbeerblatt
1 Thymianzweig
400 ml Schlagsahne

Das Hähnchen unter fließendem kaltem Wasser abspülen, trockentupfen und vierteln.

Das Fleisch mit Salz und Pfeffer würzen und mit Mehl bestäuben.

Das Öl in einem Bräter erhitzen. Die Hähnenstücke darin von allen Seiten anbraten und herausnehmen. Das Bratfett abgießen.

50 g Butter zerlassen. Pilze putzen, waschen, trockentupfen und mit den abgetropften Perlzwiebeln in der Butter andünsten.
Den Weißwein hinzugießen, Lorbeerblatt, abgespülten, gehackten Thymian und die Sahne hinzufügen. Die Hähnchenteile dazugeben und bei schwacher Hitze 30–35 Minuten kochen lassen. Die Hähnchenstücke herausnehmen, warm stellen.
Danach die restliche Butter in Flöckchen unter die Sauce schlagen und mit Salz und Pfeffer abschmecken. Als Beilagen passen Herzoginkartoffeln und Feldsalat mit Nüssen.

Getränke: Weißwein, z. B. ein Elsässer Riesling.

Tournedos à la crème des morilles
Filetsteaks in Morchel-Rahm

Morchelrahm:
25 g getrocknete Morcheln
500 ml (½ l) lauwarmes Wasser
1 Schalotte
1 Eßl. Butter
1 Becher (150 g) Crème fraîche
4 Filetsteaks (je etwa 175 g)
Speiseöl
30 g Butterschmalz
Salz
Pfeffer

4 Eßl. Weinbrand
Pilz-Sojasauce
1–2 Eßl. gehackte Petersilie

Für den Morchelrahm die Morcheln in dem Wasser 3–4 Stunden einweichen.
Die Schalotte abziehen und würfeln. Die Butter zerlassen und die Schalottenwürfeln darin andünsten. Die Morcheln mit der Flüssigkeit hinzufügen. Die Crème fraîche unterrühren, zum Kochen bringen und die Flüssigkeit um die Hälfte einkochen lassen.
Für die Filetsteaks das Fleisch unter fließendem kaltem Wasser abspülen, trockentupfen, von beiden Seiten mit Öl bestreichen und zugedeckt ½–1 Stunde bei Zimmertemperatur stehenlassen.
Das Butterschmalz erhitzen, die Steaks von jeder Seite etwa 6 Minuten darin braten, salzen, pfeffern, auf einer vorgewärmten Platte anrichten, mit Alufolie abdecken und warm stellen.
Den Bratensatz mit Weinbrand loskochen, in den Morchelrahm geben und mit Salz, Pfeffer und Pilz-Sojasauce abschmecken.
Die Petersilie unterrühren. Den Morchelrahm zu den Steaks reichen.
Beilage: Broccoli-Soufflé, warmes Stangenweißbrot und gemischter Salat.

Getränk: Elsässer Roséwein, z. B. ein Pinot noir.

Truites aux amandes
Forellen mit Mandeln

4 küchenfertige Forellen
Milch
Salz
Pfeffer
2 Eßl. Weizenmehl
100 g Butter
50 g abgezogene, gehobelte Mandeln
Zitronenscheiben
Petersilie

Die Forellen unter fließendem kaltem Wasser abspülen, trockentupfen und in Milch wenden.
Die Fische innen und außen mit Salz und Pfeffer bestreuen und in dem Mehl wenden.
Die Hälfte der Butter zerlassen.
Die Forellen von jeder Seite 6–8 Minuten darin braten und warm stellen.
Die restliche Butter zerlassen, die Mandeln darin bräunen und die Forellen in den Mandeln wenden.
Die Forellen auf einer vorgewärmten Platte anrichten und mit Zitronenscheiben und Petersilie garnieren.
Beilage: Petersilienkartoffeln, gemischter Blattsalat.

Getränk: Elsässer Weißwein, z. B. Riesling oder Pinot blanc-trocken.

Escargots de Strasbourg
Weinbergschnecken
(Foto S. 35)

24 Schnecken (aus der Dose)
60–80 g weiche Butter
½ Zwiebel
1 Knoblauchzehe
2 Schalotten
1 Eßl. gehackte Petersilie
Salz
weißer Pfeffer (aus der Mühle)

Die Schneckenhäuser der Schnecken in heißem Wasser waschen und abtropfen lassen.
Je ½ Teelöffel von der Schneckenflüssigkeit in die Häuser füllen, die Schnecken hineingeben.
Die Butter geschmeidig rühren.
Zwiebel, Knoblauchzehe und Schalotten abziehen und fein würfeln, mit der Petersilie zu der Butter geben, gut verrühren. Die Butter mit Salz und Pfeffer abschmecken.
Die gefüllten Schneckenhäuser mit der Kräuterbutter bestreichen, in flache, feuerfeste Schalen oder in Schneckenpfannen setzen.
Die Schalen (Pfannen) auf dem Rost in den auf 225–250 Grad (Gas: Stufe 5–6) vorgeheizten Backofen schieben. Die Schnecken etwa 20 Minuten backen.
Beilage: Stangenweißbrot.

Escalopes de dinde aux épinards

Putenschnitzel mit Blattspinat
(Foto S. 37)

---

750 g Blattspinat

Salz

250 ml (¼ l) Schlagsahne

75 g Roquefort-Käse

2 Knoblauchzehen

125 g Garnelen, geschält

150 g kleine Champignons

2–3 Schalotten

60 g Butter

weißer Pfeffer

1 Eßl. gehackte Petersilie

4 Putenschnitzel (je etwa 150 g)

2 Eßl. Semmelmehl

geriebene Muskatnuß

40 g frisch geriebener Emmentaler Käse

Den Blattspinat verlesen, waschen und portionsweise in reichlich kochendem Salzwasser sprudelnd etwa ½ Minute blanchieren. In kaltem Wasser abschrecken, abtropfen lassen.

Die Schlagsahne mit dem zerbröckelten Roquefort-Käse, den abgezogenen, durchgepreßten Knoblauchzehen verrühren und cremig einkochen lassen.

Die Champignons putzen, waschen, in feine Scheiben schneiden.

Die Schalotten abziehen und würfeln. Schalotten und Champignonscheiben in 1 Eßl. Butter andünsten, so lange dünsten lassen, bis keine Flüssigkeit mehr vorhanden ist, mit Salz und Pfeffer würzen, mit den Garnelen und der Petersilie vermengen.

Die Putenschnitzel unter fließendem kaltem Wasser abspülen, trockentupfen, mit Salz und Pfeffer bestreuen und in dem Semmelmehl wenden.

1–2 Eßl. Butter erhitzen und die Putenschnitzel darin von jeder Seite etwa 2 Minuten braten.

Eine feuerfeste Form mit Butter ausstreichen, den grob gehackten Spinat in die Form geben und mit Muskatnuß würzen.

Die Putenschnitzel darauf anrichten, zuerst die Garnelen-Champignon-Mischung, dann die Roquefort-Sauce darüber geben. Mit dem Emmentaler Käse bestreuen.

Die Form auf dem Rost in den auf etwa 225 Grad (Gas: Etwa Stufe 4) vorgeheizten Backofen schieben und die Schnitzel in 20–25 Minuten goldbraun überbacken.

Getränk: Ein Tokay-Pinot gris.

Pigeons à la minute
Tauben auf schnelle Art

2 küchenfertige Tauben
Salz
Pfeffer
40 g Butter
2 Eßl. Weinbrand
125 ml (⅛ l) Wasser
1 Zwiebel
2 Eßl. gehackte Petersilie

Die Tauben unter fließendem kaltem Wasser abspülen, trockentupfen und halbieren. Mit Salz und Pfeffer einreiben.
Die Butter zerlassen, die Tauben darin anbraten, mit Weinbrand beträufeln und mit der Hälfte des Wassers begießen.
Die Tauben 15–20 Minuten braten lassen.
Die Zwiebeln abziehen, würfeln und etwa 5 Minuten vor Beendigung der Bratzeit mit der Petersilie zu dem Fleisch geben.
Die Zutaten mitbraten lassen und das restliche Wasser hinzugießen.
Die garen Taubenhälften auf einer vorgewärmten Platte anrichten und warm stellen.
Den Bratensatz mit Salz, Pfeffer abschmecken und über das Fleisch geben.
Beilage: Rosenkohl, Röstkartoffeln.
Getränk: Weißwein, z. B. ein Tokay-Pinot gris.

Mousseline de jambon
Schinkenmousse

500 g gekochter Schinken
125 g weiche Butter
125 ml (⅛ l) Schlagsahne
2 gestrichene Eßl. Tomatenmark
Salz
Pfeffer
1 Päckchen Gelatine gemahlen, weiß
5 Eßl. kaltes Wasser
375 ml (⅜ l) entfettete Fleischbrühe
3 Eßl. Portwein
Speiseöl
halbierte, schwarze Oliven
Petersiliensträußchen

Den Schinken durch die feine Scheibe des Fleischwolfs drehen.
Die Butter schaumig rühren und den Schinken, die Sahne und das Tomatenmark unterrühren.
Die Masse mit Salz und Pfeffer abschmecken.
Die Gelatine mit dem Wasser anrühren und 10 Minuten zum Quellen stehenlassen. Dann unter Rühren erwärmen, bis sie gelöst ist und kühl stellen. Die lauwarme Gelatinelösung mit der erhitzten Fleischbrühe verrühren.
Den Portwein unterrühren, mit Salz und Pfeffer würzen.
6 Eßlöffel von der Aspikflüssigkeit unter die Schinkenmasse rühren. So viel von der Aspikflüssigkeit in eine

mit Öl ausgestrichene Kastenform (etwa 30 cm lang) gießen, daß der Boden etwa 1 cm hoch bedeckt ist. Die Form kalt stellen.
Sobald die Aspikschicht erstarrt ist, sie mit Oliven und Petersiliensträußchen garnieren. Von der Aspikflüssigkeit vorsichtig einige Eßlöffel darüber gießen und kalt stellen.
Die Schinkenmasse in der Größe der Kastenform formen, auf die erstarrte Aspikschicht geben, vorsichtig mit einem in kaltes Wasser getauchten Messer glattstreichen und kalt stellen.
Die restliche Aspikflüssigkeit auf einen flachen Teller gießen, erstarren lassen und in Würfel schneiden.
Die Schinkenmasse stürzen und mit den Aspikwürfeln anrichten.
Veränderung: Die Schinkenmasse in Scheiben schneiden und auf den Aspikwürfeln anrichten.

Getränk: Weißwein, z. B. ein Pinot blanc.

Crêpes Suzette

Orangenbutter:
Schale von 1 Orange (unbehandelt)
2 Stückchen Würfelzucker
75 g Butter
30 g Zucker
2–3 Eßl. Orangen-Marmelade
Crêpes:
125 g Weizenmehl
2 Eier
125 ml (⅛ l) Milch
125 ml (⅛ l) Wasser
etwas Butter
3–4 Eßl. Grand Marnier

Für die Orangenbutter die Schale der Orange abreiben.
Die Zuckerstücke zerkleinern und mit Butter und Zucker schaumig schlagen. Die Orangen-Konfitüre unterrühren.
Für die Crêpes das Mehl in eine Schüssel sieben, in die Mitte eine Vertiefung eindrücken. Die Eier mit Milch und Wasser verschlagen. Etwas von der Eier-Flüssigkeit in die Vertiefung geben. Von der Mitte aus mit Mehl verrühren. Nach und nach die übrige Eier-Flüssigkeit dazugeben, darauf achten, daß keine Klumpen entstehen.
Etwas Butter in einer Stielpfanne (Durchmesser etwa 14 cm) zerlassen. Eine dünne Teigschicht hineingeben, von beiden Seiten in etwa 3 Minuten goldgelb backen lassen. Den Crêpe auf eine vorgewärmte Platte gleiten lassen und warm stellen.
Die übrigen Crêpes auf die gleiche Art zubereiten.
Die Orangenbutter zerlassen und die Crêpes nacheinander darin erhitzen. Die Crêpes zu Vierteln zusammenklappen und auf einer vorgewärmten Platte anrichten.
Den Grand Marnier anwärmen, am Eßtisch über die Crêpes geben und anzünden.

Bre-
tagne
et
Norman-
die

Coquilles Saint-Jacques au Champagne

Jakobsmuscheln mit Champagner

(6 Portionen – Foto S. 40/41)

12 Jakobsmuscheln
Brühe:
1 abgezogene Zwiebel
2 Gewürznelken
3 abgezogene Echalotten
1 Kräuterbündchen (Petersilie, Thymian, Lorbeerblatt)
Salz
Pfeffer
½ Flasche Champagner
4 Eigelb
100 g Crème fraîche

Nuß und Koralle der Muscheln unter fließendem kaltem Wasser abspülen. Wenn die Nuß sehr groß ist, sie waagerecht teilen, alles in einen Topf geben.
Die Zwiebel mit den Nelken spicken.
Das Kräuterbündchen, gespickte Zwiebel und Echalotten mit in den Topf geben und mit Salz und Pfeffer würzen.
Die Zutaten mit Champagner bedekken, zum Kochen bringen und 2–3 Minuten schwach kochen.
Die Jakobsmuscheln abtropfen lassen und warm stellen.
Die Brühe durch ein Sieb gießen und um die Hälfte reduzieren.
Crème fraîche und Eigelb in einem Topf verrühren. Nach und nach die heiße Brühe hinzugießen und unter ständigem Rühren bei schwacher Hitze einkochen lassen.
Das Muschelfleisch in die unteren Schalen legen, mit der Sauce bedekken und sofort servieren.
Getränk: Champagner.

Gambas à l'ail

Gambas in Knoblauchöl

(2 Portionen)

8 rohe Gambas (Hummerkrabben mit Schale)
4 Knoblauchzehen
1 frische rote Chilischote
6 Eßl. Olivenöl
Petersilienblätter

Die Schale am Rücken der Gambas längs aufschneiden und den Darm herauslösen. Die Gambas unter fließendem kaltem Wasser abspülen und trockentupfen.
Die Knoblauchzehen abziehen und fein würfeln.
Die Chilischote entstielen, längs halbieren, entkernen, abspülen, trokkentupfen und kleinschneiden.
Das Öl in zwei feuerfeste Portionspfannen erhitzen, Knoblauch und Chilischote hineingeben und erhitzen.

Die Gambas hinzufügen, etwa 5 Minuten unter Wenden durchdünsten, bis sich der austretende Saft mit dem Olivenöl verbindet.
Die Petersilienblätter abspülen, trokkentupfen, grob hacken und kurz vor dem Servieren darüber streuen.
Beigabe: Baguette.
Getränk: Trockener Weißwein, z. B. ein Muscadet.

Poulet de Bretagne
Basilikumhähnchen mit Calvadosäpfeln

1 küchenfertige Poularde (etwa 1½ kg)
Salz
3 süßsaure Äpfel
14 große Basilikumblätter
8 Eßl. Calvados
50 g Butter
125 ml (⅛ l) Cidre
100 g Crème fraîche
weißer Pfeffer (aus der Mühle)

Die Poularde unter fließendem kaltem Wasser abspülen, trockentupfen. Anschließend innen und außen salzen. Einen der Äpfel schälen, vierteln, entkernen, in kleine Stücke schneiden, mit 4 Basilikumblättern in die Poularde füllen, die Öffnung mit Küchengarn zunähen.
Das Geflügel in einen gußeisernen großen Topf legen. 4 Basilikumblätter halbieren und vorsichtig unter das Fleisch der Keulen und der Brustfilets schieben.
Die Poularde mit 4 Eßl. Calvados übergießen und etwa 30 Minuten marinieren. Ab und zu mit dem heruntergelaufenen Calvados übergießen.
Die Butter zerlassen, mit etwa 4 Eßl. davon die Poularde begießen. Den Topf mit dem Deckel verschließen, in den auf etwa 225 Grad (Gas: Etwa Stufe 4) vorgeheizten Backofen schieben und das Geflügel etwa 35 Minuten braten lassen.
Die restlichen Äpfel schälen, halbieren, entkernen, um die gewendete Poularde legen. In jede Apfelhälfte jeweils 1 Basilikumblatt legen, mit dem restlichen Calvados und der restlichen Butter beträufeln und weitere 20 Minuten zugedeckt braten. Die gare Poularde mit den Äpfeln auf einer vorgewärmten Platte anrichten und warm stellen.
Den Bratensatz mit dem Cidre loskochen, durch ein Sieb gießen und entfetten.
Crème fraîche unterrühren und etwas einkochen lassen.
Die Sauce mit Salz und Pfeffer abschmecken und getrennt zur Poularde servieren.
Beilage: Butternudeln und Broccoliröschen.

Getränk: Ein trockener Cidre.

Canard rôti
Geschmorte Ente
(Foto S. 45)

---

1 frische, küchenfertige Barbarie-
Ente (etwa 1500 g), Salz

schwarzer Pfeffer (aus der Mühle)

2 Echalotten

1 Knoblauchzehe

2 kleine Möhren

½ Stange Lauch (Porree)

¼ Sellerieknolle (etwa 125 g)

30 g Butterschmalz

250 ml (¼ l) trockener Rotwein
(z. B. Minervois)

¼ Teel. gerebelter Thymian

½ Becher (75 g) Schlagsahne

40 g Butter

Orangenschalen-Aroma (Fertigpro-
dukt)

Die Ente in acht Teile zerlegen, unter
fließendem kaltem Wasser abspülen,
trockentupfen und mit Salz und Pfeffer einreiben.

Echalotten und Knoblauchzehe
abziehen.

Möhren, Lauch und Sellerie putzen,
waschen und alles kleinschneiden.

Das Butterschmalz in einem Bräter
erhitzen und die Ententeile darin
rundherum braun anbraten.

Das Gemüse hinzufügen, kurz
andünsten und den Rotwein hinzugießen.

Die Ente mit Thymian würzen und
im offenen Topf bei etwa 150 Grad
(Gas: Stufe 1–2) im Backofen 60–70

Minuten schmoren lassen und dabei
nach und nach die Sahne angießen.
Die Ententeile mit Folie bedeckt
warm stellen.

Die Sauce mit dem Gemüse durch ein
Sieb streichen. Die Sauce gründlich
entfetten und wieder erhitzen.

Mit einer Gabel oder mit einem Sau-
cenbesen die Butter (40 g) in Flöckchen unterrühren.

Die Sauce mit Orangenschalen-
Aroma, Salz und Pfeffer würzen und
getrennt zum Fleisch servieren.

Beilag: Bandnudeln und junge Erbsen.

Getränk: Rotwein, z. B. ein
Minervois.

Omelette surprise à la normande
Normannisches Omelette

---

400 g Äpfel (z. B. Boskop)

4 Eßl. Calvados

50 g geräuchterter Schinken

60 g Butter

8 Eier

Salz

Pfeffer

2 Eßl. Schlagsahne

2 Eßl. saure Sahne

2–3 Eßl. Calvados

Die Äpfel schälen, vierteln, entkernen, in Scheiben schneiden, mit dem

Fortsetzung S. 46

Calvados (4 Eßl.) tränken.
Den Schinken in Würfel schneiden.
Die Hälfte von der Butter zerlassen,
die Schinkenwürfel darin glasig wer-
den lassen, herausnehmen, warm
stellen.
Die Eier mit Salz, Pfeffer und Schlagsahne verschlagen.
Die restliche Butter zu dem heißen
Fett geben, die Eiermasse hineingeben.
Apfelscheiben und Schinkenwürfel
darauf verteilen.
Die Masse mit einer Gabel durchrühren, bis sie zu stocken beginnt (das
Omelette sollte auf der Oberfläche
noch etwas flüssig sein).
Die saure Sahne darüber verteilen.
Das Omelette zur Hälfte übereinan-
derschlagen, auf eine vorgewärmte
Platte gleiten lassen, nach Belieben
mit 2–3 Eßl. Calvados übergießen,
anzünden.

Poitrine de veau farcie
Gefüllte Kalbsbrust

Etwa 1 kg Kalbsbrust (ohne Knochen mit eingeschnittener Tasche)
Salz
Pfeffer
gerebelter Thymian
1 große Zwiebel
200–250 g Schweinemett
1 Ei
1–2 Eßl. Weinbrand
250 g Kalbsknochen
3 Eßl. Speiseöl
2 Möhren

Die Kalbsbrust unter fließendem kaltem Wasser abspülen, trockentupfen,
innen und außen mit Salz, Pfeffer
und Thymian einreiben.
Für die Füllung die Zwiebel abziehen, würfeln und mit dem Schweine-
mett, Ei und Weinbrand vermengen.
Die Masse mit Salz und Pfeffer würzen, die Kalbsbrust damit füllen und
zunähen. Die Kalbsknochen abspülen und trockentupfen.
Das Öl in der Fettfangschale in dem
auf 225–250 Grad (Gas: Stufe 6–7)
vorgeheizten Backofen erhitzen.
Kalbsbrust und Knochen hineingeben, auf die untere Schiene des Backofens schieben und etwa 1½ Stunden
braten lassen.
Die Möhren putzen, schrappen,
waschen, in Stücke schneiden und
nach ¾ Stunde Bratzeit zu dem
Fleisch geben. Die Kalbsbrust ab und
zu mit dem Bratensatz begießen.
Sollte der Bratensatz zu stark bräunen, etwas Wasser hinzufügen.
Die gare Kalbsbrust von den Fäden
befreien, in Scheiben schneiden, auf
einer vorgewärmten Platte anrichten
und warm stellen.
Den Bratensatz mit Wasser loskochen, durch ein Sieb gießen und zu
dem Fleisch reichen.
Die Kalbsbrust kann auch kalt als
Aufschnitt gereicht werden.

Paupiettes de veau en brochettes
Kalbsröllchen auf Spießen

750 g Grüne Bohnen
Bohnenkraut
kochendes Salzwasser
50 g Butter
Salz
Pfeffer
8 dünne Kalbsschnitzel (je etwa 75 g)
125 g durchwachsener Speck
50 g Butter
4 Tomaten

Die Bohnen abfädeln, waschen, mit dem Bohnenkraut in kochendes Salzwasser geben, zum Kochen bringen, in etwa 30 Minuten gar kochen, abtropfen lassen.
Die Butter zerlassen, die Bohnen darin erhitzen, mit Salz und Pfeffer würzen, auf eine vorgewärmte Platte geben, warm stellen.
Die Schnitzel klopfen, längs halbieren.
Den Speck in 16 kleine Scheiben schneiden.
Auf jede Schnitzelhälfte eine Speckscheibe legen, die Fleischscheiben aufrollen. Je 4 Röllchen auf einen Bratenspieß stecken, mit Salz und Pfeffer bestreuen.
Die Butter zerlassen, die Fleischspieße von allen Seiten darin 8–10 Minuten braten lassen.
Die Tomaten waschen, abtrocknen, in dem Bratfett kurz andünsten lassen, mit Salz und Pfeffer bestreuen, mit den Fleischspießen auf den Bohnen anrichten.
Beigabe: Pariser Kartoffeln in Fleischbrühe gekocht.
Getränk: Leichter, roter Landwein, z. B. vom Val d'Orbien.

Mousse aux framboises
Himbeercreme

1 Packung (300 g) tiefgekühlte Himbeeren
1 Eigelb
30 g Zucker
250 ml (¼ l) Schlagsahne
1 Päckchen Sahnesteif
2–4 EßI. Himbeergeist

Die Himbeeren bei Zimmertemperatur auftauen lassen, mit einer Gabel zerdrücken.
Das Eigelb mit Zucker schaumig schlagen und die Himbeeren hinzufügen. Die Sahne ½ Minute schlagen, Sahnesteif einstreuen, die Sahne steif schlagen, unter die Himbeercreme heben.
Die Creme in eine Eisschale füllen, etwa 45 Minuten im Gefrierfach des Kühlschrankes anfrieren lassen, in Cocktail-Gläsern anrichten, den Himbeergeist über die Portionen verteilen.

Cotriade
(Fischsuppe)
(Etwa 8 Portionen – Foto S. 49)

Rouille:

3–4 kleine Kartoffeln (etwa 100 g)

1 Eigelb

6 abgezogene Knoblauchzehen

5 Eßl. Speiseöl

1–2 Eßl. Paprikamark (aus der Tube)

Salz, Cayennepfeffer

etwa 4 Eßl. Court Bouillon

Court Bouillon:

500 g Zwiebeln

4 Knoblauchzehen

500 g Porree

500 g reife Tomaten

2 Eßl. Olivenöl

2 Teel. Fenchelsamen

2 Lorbeerblätter

2 kg Fischköpfe, -gräten und -schwänze (vorher beim Fischhändler bestellen)

500 ml (½ l) trockener Weißwein

Salz

Pfeffer (aus der Mühle)

1 Briefchen Safran

etwas abgeriebene Orangenschale (unbehandelt)

Fischeinlage:

1 Hummer (etwa 500 g)

8 Kabeljau-Koteletts (je 200 g)

16 Hummerkrabben

500 g frische Jakobsmuscheln (ersatzweise tiefgekühlt)

2 kg Miesmuscheln (geputzt und sortiert)

Um keine Zeit zu verlieren, ist es sinnvoll, als erstes die kleinen Kartoffeln für die Rouille zum Kochen aufzusetzen, da sie gekocht verwendet werden.

Für die Court Bouillon Zwiebeln und Knoblauchzehen abziehen. Zwiebeln grob würfeln und den Knoblauch durchpressen.

Den Porree putzen, in 1–2 cm breite Ringe schneiden und waschen.

Die Tomaten waschen und vierteln (Stengelansätze entfernen).

Das Olivenöl in einem großen schweren Topf erhitzen und die Zwiebeln darin glasig dünsten lassen. Das übrige vorbereitete Gemüse nacheinander hinzugeben und unter Rühren etwa 5 Minuten dünsten lassen.

Fenchelsamen, Lorbeerblätter und die gewaschenen, von den Kiemen befreiten Fischköpfe und die Fischgräten und -schwänze hinzufügen.

2 l Wasser darauf gießen und im offenen Topf bei schwacher Hitze etwa 20 Minuten kochen lassen.

Inzwischen die Rouille zubereiten.

Die gekochten Kartoffeln durch ein Sieb streichen. Eigelb und durchgepreßte Knoblauchzehen dazugeben und mit der Kartoffelmasse gut vermengen.

Das Olivenöl tropfenweise hinzufügen, dabei die Masse ständig mit dem Handrührgerät mit Rührbesen rühren.

Wenn die Sauce einer Mayonnaise ähnelt, das Paprikamark untermischen und die Rouille mit Salz und

48

Fortsetzung S. 50

Cayennepfeffer abschmecken (sie soll scharf sein).

Die Sauce evtl. mit etwas Court Bouillon verdünnen. Die Court Bouillon durch ein Sieb gießen, dabei die Reste im Sieb mit einem Löffel etwas ausdrücken. Den Wein zur Rouille gießen und mit Salz, Pfeffer, Safran und Orangenschale würzen.

Die Bouillon erhitzen und einen kleinen Teil davon in einen flachen Topf umfüllen.

Die Bouillon im großen Topf sprudelnd kochen lassen und den Hummer (Kopf voran) hineingleiten lassen. Inzwischen im flachen Topf die Kabeljau-Koteletts in 8–10 Minuten garen, herausnehmen und warm stellen. Danach die Hummerkrabben in 5–8 Minuten garen.

Die Jakobsmuscheln in 3 Minuten garen lassen (die Bouillon darf nie kochen, sondern nur leise sieden). Nebenbei auch die Miesmuscheln in einem großen Topf zugedeckt in 10 Minuten garen lassen.

Alle gegarten Meerestiere und den Fisch auf einer vorgewärmten Platte anrichten.

Die Bouillon erhitzen und in einer Suppenterrine dazu servieren.

Die Rouille zum Nachwürzen in einer Sauciere servieren.

Beigabe: Baguette oder leicht angeröstetes Weißbrot.

Getränk: Trockener Weißwein, z. B. ein Muscadet.

Sole à la Saint Germain

Seezungenröllchen Saint Germain

(Foto S. 51)

8 Seezungenfilets (etwa 600 g)
4 Eßl. Zitronensaft
200 ml (⅕ l) Weißwein
200 ml (⅕ l) Instant-Fleischbrühe
1 Eßl. Butter, ½ Teel. Salz
125 ml (⅛ l) Schlagsahne
2 Eigelb, Salz
frisch gemahlener, weißer Pfeffer

Die Seezungenfilets unter fließendem kaltem Wasser abspülen, trockentupfen, mit dem Zitronensaft beträufeln, aufrollen und mit Holzspießchen fest zusammenstecken.

Wein mit Brühe, Butter und Salz zum Kochen bringen.

Die Seezungenröllchen hineingeben, zum Kochen bringen, etwa 12 Minuten darin ziehen (nicht kochen) lassen, herausnehmen und warm stellen.

Den Fischsud um ⅓ reduzieren.

Die Sahne hinzugießen und kurz aufkochen lassen.

Die Sauce mit dem Eigelb legieren, nicht mehr kochen lassen und mit Salz und Pfeffer abschmecken.

Die Weißwein-Sahne mit den Seezungenröllchen servieren.

Getränk: Voller Weißwein, z. B. ein Côtes du Rhône.

Filet de porc à la Picarde
Schweinerollbraten

750–1000 g Schweinerollbraten
Salz
Pfeffer
5 Eßl. Olivenöl
750 g Porreestangen (vorbereitet gewogen)
2 abgezogene Knoblauchzehen
3 Eßl. Tomatenmark

Den Schweinrollbraten unter fließendem kaltem Wasser abspülen, trockentupfen, mit Salz und Pfeffer einreiben.

Das Öl erhitzen, das Fleisch von allen Seiten darin anbraten und herausnehmen.

Die Porreestangen putzen, waschen und etwa 5 Minuten in kochendem Wasser ziehen lassen.

Die Porrestangen mit den Knoblauchzehen in dem Bratfett anbräunen.

Das Tomatenmark und 6 Eßl. Wasser hinzufügen, das Fleisch darauf legen und in 1¼–1½ Stunden gar schmoren lassen.

Den garen Braten in Scheiben schneiden, auf einer vorgewärmten Platte anrichten, die Porreestangen um das Fleisch legen.

Den Bratensatz mit Salz abschmekken und über das Gemüse geben.
Beilage: Salzkartoffeln.
Getränk: Frischer, roter Landwein.

Lapin à la paysanne
Kaninchen nach Bauernart

1 küchenfertiges Kaninchen (etwa 1¼ kg)
Salz
50 g Butter oder Margarine
2 mittelgroße Zwiebeln
2 mitelgroße Möhren
5 mittelgroße Tomaten
100 g durchwachsener Speck
1 gehäufter Eßl. Weizenmehl
1 Lorbeerblatt
Thymian
2 abgezogene Knoblauchzehen
Pfeffer
Zucker
1–2 Eßl. Tomatenmark
1 Eßl. gehackte Petersilie

Das Kaninchen unter fließendem kaltem Wasser abspülen, trockentupfen, enthäuten, vom Fett befreien, in Portionsstücke schneiden, mit Salz einreiben.

Das Fett erhitzen, das Fleisch von allen Seiten darin anbraten, herausnehmen.

Die Zwiebeln abziehen und würfeln.

Die Möhren putzen, schrappen, waschen, in Scheiben schneiden.

Die Tomaten enthäuten (Stengelansätze entfernen), in Scheiben schneiden.

Den Speck in Würfel schneiden, auslassen, das Gemüse darin andünsten.

Das Mehl darüber stäuben und verrühren.

Lorbeerblatt, Thymian und Knoblauchzehen mit den Fleischstücken hinzufügen, mit Salz, Pfeffer und Zucker würzen, zum Kochen bringen, in etwa 1¼–1½ Stunden gar kochen lassen.

Das Gericht mit Salz, Pfeffer, Zucker und Tomatenmark abschmecken, mit Petersilie bestreuen.

Getränk: Weißwein, z. B. ein vin d'Anjou.

Rôti de veau Orloff
Gefüllter Kalbsbraten „Orloff"

---

250 g Champignons

2 Zwiebeln

2 Schalotten

3 Knoblauchzehen

20 g Butter

2 Eßl. gehackte Petersilie

Salz

Pfeffer

125 g Gänselebermus (aus der Dose) oder 125 g feine Kalbsleberwurst

1 kg gebratenes Kalbfleisch (rundgebunden)

30 g Butter

30 g Weizenmehl

375 ml (⅜ l) Milch

1 Becher (150 g) Crème fraîche

25 g geriebener Parmesan-Käse

25 g geriebener Schweizer Käse

Die Champignons putzen, waschen, in Würfel schneiden.

Die Zwiebel und die Schalotten abziehen und würfeln. Die Knoblauchzehen abziehen und fein hacken.

Die Butter zerlassen, Zwiebeln, Schalotten und Knoblauchzehen darin andünsten, die Champignons dazugeben und so lange mitdünsten lassen (10–15 Minuten), bis keine Flüssigkeit mehr vorhanden ist.

Die Petersilie unterrühren und mit Salz und Pfeffer würzen.

Das Gemüse erkalten lassen und mit Gänselebermus (Kalbsleberwurst) verrühren.

Das Kalbfleisch in etwa 1 cm dicke Scheiben schneiden, diese etwa ½ cm dick mit der Masse bestreichen. Den Braten wieder zusammensetzen und in eine längliche Auflaufform stellen.

Die Butter zerlassen, das Mehl unter Rühren so lange darin erhitzen, bis es hellgelb ist.

Die Milch hinzugießen, mit einem Schneebesen durchschlagen, die Sauce zum Kochen bringen und etwa 5 Minuten kochen lassen.

Die Crème fraîche und den geriebenen Käse unterrühren, etwa 10 Minuten ziehen lassen, mit Salz und Pfeffer abschmecken und über den Braten geben.

Die Auflaufform in den auf etwa 150 Grad (Gas: Stufe 2–3) vorgeheizten Backofen schieben und etwa 30 Minuten überbacken.

Getränk: Weißwein, z. B. ein Elsässer Riesling.

Rillettes
Französisches Edelschmalz
(Foto S. 55)

1½ kg Schweinebauch
1 Schinkenknochen oder
250 g geräucherte, dünne Rippe
einige Speckschwarten
250 ml (¼ l) Wasser
1 Zwiebel
2 Knoblauchzehen
3 Nelken
1 Lorbeerblatt
500 g Flomen
1 kg Schweinenacken
Salz
Pfeffer
gerebelter Majoran
etwa 250 g Schweineschmalz

Von dem Schweinebauch die Schwarte abschneiden.

Schweinebauch, Schinkenknochen und Schwarten unter fließendem kaltem Wasser abspülen, trockentupfen und mit dem Wasser in einen Schnellkochtopf geben.

Zwiebel und Knoblauchzehen abziehen und mit Nelken und Lorbeerblatt zu dem Fleisch geben.

Den Topf schließen und das Fleisch in etwa 30 Minuten (1½–2 Stunden in einem normalen Kochtopf) garen lassen.

Fleisch, Knochen und Schwarten aus der Brühe nehmen und die Brühe durch ein Sieb gießen.

Die Flomen kleinschneiden, in einer Pfanne auslassen und durch ein Sieb in einen großen Topf geben. Die Brühe hinzugießen.

Den Schweinebauch in etwa 1 cm große Würfel schneiden.

Den Schweinenacken unter fließendem kaltem Wasser abspülen, trockentupfen und in etwa 1 cm große Würfel schneiden.

Die Fleischwürfel in die Brühe geben, zum Kochen bringen und das Fleisch unter Rühren 1½–2 Stunden kochen lassen, bis das Fleisch beim Rühren zerfällt.

Mit Salz, Pfeffer und Majoran würzen.

Das Rillette in sorgfältig gespülte Suppentassen oder Steinguttöpfchen füllen und erkalten lassen.

Das Schweineschmalz zerlassen, auf das Rillette gießen und fest werden lassen (die Fettschicht bewirkt eine längere Halbarkeit des Rillettes).

Die Töpfchen mit Frischhaltefolie bedecken oder mit dem Deckel verschießen und kühl aufbewahren.

Haltbarkeit: 3–4 Wochen.

Verpackungsvorschlag zum Verschenken: Die Suppentassen in ein Deckchen mit Spitzenrand setzen, mit bunter Borde zubinden. Pfeffer und Salzstreuer mitverschenken. Oder aus rotkariertem Stoff Quadrate schneiden, jeweils ein gefülltes Steinguttöpfchen darauf stellen, die 4 Stoffenden über dem Topf mit Schleifenband zusammenbinden.

Brioche
(Foto S. 57)

Vorteig:
100 g Weizenmehl
50 g Frischhefe
1 gestrichener Teel. Zucker
6 Eßl. lauwarmes Wasser
Teig:
400 g Weizenmehl
50 g Puderzucker
10 g Salz
400 g weiche Butter
6 Eier
Semmelmehl

Für den Vorteig das Mehl in eine
Rührschüssel sieben.
Hefe mit Zucker und Wasser so lange
verrühren, bis sich die Hefe aufgelöst
hat, zu dem Mehl geben und gut verrühren (evtl. noch etwas Wasser hinzugeben). Den Teig an einem warmen Ort so lange stehenlassen, bis er
sich sichtbar vergrößert hat. Für den
Teig das Mehl mit dem Puderzucker
in eine Rührschüssel sieben und mit
dem Salz vermengen.
Die Butter geschmeidig rühren.
Nach und nach die Eier unterrühren
und mit dem Mehlgemisch vermengen. Den gegangenen Vorteig hinzufügen, mit einem Handrührgerät mit
Knethaken zuerst auf niedrigster,
dann auf der höchsten Stufe in etwa 5
Minuten zu einem Teig verarbeiten.
Eine gut gefettete Kastenform
(32 × 10 cm) und Brioche-Form
(Inhalt 1 l) oder kleine Brioche-
Förmchen (Durchmesser etwa 8 cm)
mit Semmelmehl ausstreuen.
Den Teig auf die beiden Formen verteilen und nochmals so lange an
einem warmen Ort stehenlassen
(etwa 30 Minuten), bis er sich sichtbar vergrößert hat.
Die Formen auf dem Rost in den auf
etwa 200 Grad (Gas: Stufe 3–4) vorgeheizten Backofen schieben und
etwa 40 Minuten (kleine Formen
etwa 20 Minuten) backen.

Petits pois
Erbsen

12 kleine Zwiebeln
1 Kopf Salat, 75 g Butter
750 g ausgepalte Erbsen
(etwa 2 kg in Schoten)
1 gehäufter Eßl. Weizenmehl
125 ml (⅛ l) Wasser
Salz, Pfeffer, Zucker
gehackte Petersilie

Die Zwiebeln abziehen.
Den Salat putzen, in Streifen schneiden, waschen, abtropfen lassen.
Die Butter zerlassen, die Zwiebeln
und Erbsen kurze Zeit darin erhitzen, mit Mehl bestäuben.
Die Salatstreifen hinzufügen, mitdünsten lassen.
Wasser, Salz, Pfeffer und Zucker hinzufügen, in etwa 15 Minuten gar dünsten lassen, in einer vorgewärmten
Schüssel anrichten, mit gehackter
Petersilie bestreuen.

Val
de
Loire

Tornedos Chambord
Filetsteaks mit Austernpilzen
(Foto S. 58/59)

1–2 Eßl. Butter
4 Filetsteaks (je etwa 175 g)
Salz
schwarzer Pfeffer
6 Eßl. Weinbrand
1 Schalotte
1 Knoblauchzehe
1 Eßl. Butter
250 g Austernpilze
Pfeffer
1 Becher (150 g) Crème fraîche
1 Teel. zerdrückte grüne Pfefferkörner
Pilz-Sojasauce

Die Butter in einer Flambierpfanne erhitzen. Die Steaks darin von beiden Seiten insgesamt 10–15 Minuten braten, mit Salz, schwarzem Pfeffer bestreuen und mit dem Weinbrand flambieren.

Die Steaks auf einer vorgewärmten Platte mit Alufolie abgedeckt warm stellen.

Den Bratensatz in einen kleinen Topf geben und warm stellen.

Die Schalotte und die Knoblauchzehe abziehen und fein würfeln.

Die Butter (1 Eßl.) in der Flambierpfanne erhitzen, Schalotten- und Knoblauchwürfel darin andünsten.

Die Austernpilze putzen, vorsichtig waschen, trockentupfen und in Streifen schneiden. Die Pilze in die Flambierpfanne geben, mit Salz und Pfeffer würzen, 4–5 Minuten dünsten lassen.

Den Bratensatz, Crème fraîche und grüne Pfefferkörner hinzufügen, 1–2 Minuten kochen lassen und mit Pilz-Sojasauce abschmecken.

Die Austernpilze mit den Filetsteaks auf vorgewärmten Tellern anrichten und sofort servieren.

Beilage: Röstkartoffeln.

Getränk: Leichter Rotwein, z. B. ein Vin d' Anjou.

Brochet au beurre Blanc
Hecht mit Buttersauce
(Etwa 6 Portionen)

500 ml (½ l) trockener Weißwein
4 Eßl. Essig
1 große abgezogene Zwiebel
2 Lorbeerblätter
2 Gewürznelken
2 Möhren
1 Kräuterbund (z. B. Petersilie, Thymian, Dill)
Salz
Pfefferkörner
1 Hecht (1,2–1,5 kg, ausgenommen und gewaschen)
Buttersauce:
6 Eßl. Essig
6 Eßl. trockener Weißwein
2 Eßl. feingehackte Schalotten
Salz, Pfeffer

60

225 g gekühlte Butter
Garnitur:
1–2 Zitronen (unbehandelt, in Scheiben geschnitten)
gewaschene Petersilie

2 l Wasser in einen Fischtopf mit Einsatz geben, Wein und Essig, mit Nelken und Lorbeerblatt gespickte Zwiebel hinzufügen.
Die Möhren putzen, schrappen, waschen, in Scheiben schneiden.
Das Kräuterbündel unter fließendem kaltem Wasser abspülen.
Möhren, Kräuter, Salz und Pfefferkörner mit in den Fischtopf geben, aufkochen und 15 Minuten bei schwacher Hitze köcheln lassen, zur Seite stellen und abkühlen lassen.
Den Fisch auf dem Einsatz des Fischtopfes in den abgekühlten Fond setzen, den Deckel auflegen, bei mittlerer Hitze langsam zum Kochen bringen und 15 Minuten ziehen lassen.
Zum Servieren den Fisch aus dem Fond nehmen, abtropfen lassen, auf einer Platte anrichten, mit Zitronenscheiben und Petersilie garnieren.
Für die Buttersauce die gehackten Schalotten mit dem Essig, dem Wein, Salz und Pfeffer unter öfterem Umrühren auf 2 Eßl. einkochen lassen.
Das Gefäß von der Kochstelle nehmen und mit dem Schneebesen nach und nach die gut gekühlte Butter unterrühren, sofort mit dem Hecht servieren.
Beilage: Kräuterkartoffeln, Salat.

Getränk: Trockener Weißwein, z. B. ein Muscadet.
Tip: Wenn kein Fischtopf vorhanden ist, einen großen Bratentopf verwenden. Den Fisch in ein feuchtes Wolltuch einschlagen, dieses an den Enden zubinden und an den Topfgriffen aufhängen.

Langoustines au sherry
Scampi in Sherry-Sahne

2 Eßl. Butter
300 g Scampi
Salz
Pfeffer
Zitronensaft
4 Eßl. Weinbrand
1 Becher (150 g) Crème fraîche
2–3 Eßl. Sherry medium
Sherry medium

Die Butter in einer Flambierpfanne auf dem Réchaud erhitzen.
Die geschälten Scampi zu der Butter geben, mit Salz, Pfeffer und Zitronensaft würzen.
Die Scampi 5–6 Minuten in der Butter braten lassen und mit dem Weinbrand flambieren.
Crème fraîche und Sherry (2–3 Eßl.) unterrühren, 2–3 Minuten durchschmoren lassen, mit Salz, Pfeffer, Sherry abschmecken und sofort servieren.
Getränk: Weißwein, z. B. ein trockener Muscadet.

Artichauts à la sauce vinaigrette
Artischocken mit Vinaigrette
(Foto S. 63)

4 mittelgroße Artischocken
3–4 l kochendes Salzwasser
3–4 Eßl. Zitronensaft oder Essig
1 Bund Petersilie
Sauce:
125 ml (⅛ l) Speiseöl
5–6 Eßl. Kräuteressig
2 Teel. Senf
Salz
Pfeffer
2 Eßl. gemischte, gehackte Kräuter
(z. B. Petersilie, Schnittlauch, Kerbel, Basilikum)

Von den Artischocken die unteren
3–4 Blätter entfernen, den Stiel
jeweils knapp unter dem Boden
abschneiden.
Die Artischocken unter fließendem
kaltem Wasser abspülen.
Die Spitzen der Blätter evtl. mit einer
Schere abschneiden.
Die Artischocken in das kochende
Salzwasser geben, den Zitronensaft
(Essig) hinzufügen, zum Kochen
bringen, die Früchte gar kochen lassen (die Artischocken sind gar, wenn
sich die Blätter leicht herausziehen
lassen).
Die Artischocken abtropfen und
erkalten lassen, auf einer Platte
anrichten, mit Petersilie garnieren.
Für die Sauce Vinaigrette das Speiseöl mit dem Kräuteressig, dem Senf,
Salz und Pfeffer so lange mit einem
Schneebesen schlagen, bis eine dickliche Sauce entstanden ist.
Die gemischten, gehackten Kräuter
unterrühren.
Die Sauce mit Salz, Pfeffer
abschmecken und getrennt zu den
Artischocken reichen.
Kochzeit: 30–40 Minuten.

Asperges „sauce mousseline"
Spargel mit abgeschlagener Sauce

280 g Spargelspitzen (aus dem Glas)
50 g Butter
4 Scheiben Weißbrot (am besten
Toastbrot)
Sauce mousseline:
2 Eigelb
3 Eßl. Wasser
2 Eßl. steifgeschlagene Schlagsahne
Salz
Pfeffer
Zitronensaft
gewaschene Salatblätter
125 g roher oder gekochter Schinken
gewaschene Petersilie

Den Spargel in der Spargelflüssigkeit
erwärmen, abtropfen lassen, warm
stellen.

Fortsetzung S. 64

Die Butter zerlassen, das Weißbrot von beiden Seiten darin braun rösten. Für die „Sauce mousseline" das Eigelb mit dem Wasser im heißen Wasserbad oder auf der Automatikplatte so lange schlagen, bis die Masse dicklich wird (nicht kochen lassen).
Die Sahne unterheben, die Sauce mit Salz, Pfeffer, Zitronensaft abschmekken.
Die Toastscheiben auf gewaschenen Salatblättern anrichten und den Spargel darauf verteilen.
Etwas von der Sauce darüber geben und die restliche Sauce getrennt dazureichen.
Den Schinken in Streifen schneiden, über die Toastscheiben streuen, mit Petersilie garnieren.

Soupe à l'ail bonne femme
Knoblauchsuppe nach Hausfrauenart

2 Stangen Porree (Lauch)
250 g enthäutete Tomaten
3–5 Knoblauchzehen
3 Eßl. Speiseöl
2 große Kartoffeln
1¼ l Fleischbrühe
Salz
Pfeffer
einige runde, ausgestochene Toastbrotscheiben

Speiseöl
Parmesankäse

Den Porree putzen, waschen, in Ringe schneiden.
Die Tomaten halbieren, die Stengelansätze herausschneiden, das Tomatenfleisch in Würfel schneiden.
Die Knoblauchzehen abziehen und zerdrücken.
Das Öl erhitzen, das Gemüse mit den Knoblauchzehen darin andünsten.
Die Kartoffeln schälen, waschen, in Scheiben schneiden, mit der Fleischbrühe zu dem Gemüse geben, zum Kochen bringen, etwa 30 Minuten kochen lassen.
Die Suppe mit Salz und Pfeffer abschmecken.
Die Toastbrotscheiben mit dem Speiseöl bestreichen, mit Parmesankäse bestreuen, in den auf 200–225 Grad (Gas: Stufe 4–5) vorgeheizten Backofen schieben und 8–10 Minuten überbacken.
Das Brot heiß zu der Suppe reichen.

Gigot de chevreuil
Rehblatt

800 g Rehblatt (Schulter)
Salz, Pfeffer
50 g durchwachsener Speck
25 g Butter
2 Schalotten

2 zerdrückte Wacholderbeeren
2 zerdrückte Knoblauchzehen
2–3 Thymianzweige
125 ml (⅛ l) Rotwein
250 ml (¼ l) Wasser
10 g Butter
2 Teel. Weizenmehl
125 ml (⅛ l) Schlagsahne

Das Rehblatt unter fließendem kaltem Wasser abspülen, trockentupfen, enthäuten und mit Salz und Pfeffer einreiben.
Den Speck in Streifen schneiden.
Die Butter (25 g) zerlassen, die Speckstreifen und das Fleisch darin anbraten.
Die Schalotten abziehen, vierteln, mit den Wacholderbeeren und den gewaschenen Thymianzweigen zu dem Fleisch geben. Den Rotwein und etwas von dem Wasser hinzugießen.
Das Fleisch etwa 1 Stunde schmoren lassen, ab und zu wenden und mit dem Bratensatz begießen. Die verdampfte Flüssigkeit nach und nach durch Wasser ersetzen.
Das gare Fleisch von den Knochen lösen, in Portionsstücke schneiden, auf einer vorgewärmten Platte anrichten und warm stellen.
Den Bratensatz mit etwas Wasser loskochen und durch ein Sieb gießen.
Die Butter (10 g) mit dem Weizenmehl verrühren, zum Bratensatz geben, mit einem Schneebesen durchschlagen und aufkochen lassen.
Die Sahne unterrühren. Die Sauce mit Salz und Pfeffer abschmecken.

Croûtes aux champignons
Champignons in Pasteten

500 g Champignons
50 g Butter
Salz
Pfeffer
Cayennepfeffer
125 ml (⅛ l) Wasser
2 gestrichene Eßl. Speisestärke
3 Eßl. Schlagsahne
2 Eßl. gehackte Petersilie
Zitronensaft
4 Blätterteigpasteten (fertig gekauft)

Die Champignons putzen, waschen, vierteln.
Die Butter zerlassen, die Champignons darin andünsten, mit Salz, Pfeffer und Cayennepfeffer würzen.
Das Wasser hinzugießen, in etwa 10 Minuten gar dünsten lassen.
Die Speisestärke mit 3 Eßl. kaltem Wasser anrühren, die Pilze damit binden.
Sahne und Petersilie unterrühren.
Die Champignons mit den Gewürzen und dem Zitronensaft abschmecken.
Von den Pasteten Hülsen und Deckel auf ein Backblech legen und in den auf 200–225 Grad (Gas: Stufe 4–5) vorgeheizten Backofen schieben und in etwa 5 Minuten erwärmen.
Die Champignons in die Pasteten füllen, die Deckel darauf setzen.

Faisan au chou blanc
Fasan auf dem Kohlblatt
(Etwa 6 Portionen – Foto S. 67)

---

750 g kleine, festkochende Kartoffeln

1 Weißkohl (etwa 1,5 kg)

250 g Zwiebeln

1 Lorbeerblatt, 2 Nelken

3 küchenfertige Fasane (je 750–1000 g)

250 g kleine Möhren

100 g Gänseschmalz

250 g durchwachsener Speck

125 ml (⅛l) Fleischbrühe

1 Bund Thymian

Pfeffer (aus der Mühle)

100 g fetter Speck (in Scheiben)

1 Ring Lyoner Wurst (ersatzweise Fleischwurst, etwa 800 g)

Die Kartoffeln waschen und in Salzwasser garen. Den Weißkohl putzen, waschen und in Streifen schneiden. Die Zwiebeln abziehen, eine Zwiebel mit dem Lorbeerblatt und den Nelken spicken. Die restlichen Zwiebeln fein würfeln.

Einen der Fasane unter fließendem kaltem Wasser abspülen, trockentupfen und in Stücke teilen.

Die Möhren putzen, schrappen, waschen, aber nicht zerkleinern.

Das Schmalz in einem großen Schmortopf zerlassen und die Zwiebelwürfel darin glasig dünsten lassen. Den durchwachsenen Speck (im Stück) und die Fasanenteile hineingeben und kurz anbraten.

Den Weißkohl und die Möhren in den Topf geben und gut durchschmoren. Zuletzt die gespickte Zwiebel, die Brühe und den abgespülten Thymian hineingeben und zugedeckt etwa 45 Minuten garen.

Das Gericht ab und zu umrühren und bei Bedarf etwas Brühe nachgießen. Den Backofen auf 225–250 Grad (Gas: Stufe 4–5) vorheizen.

Die beiden übrigen Fasane unter fließendem kaltem Wasser abspülen und trockentupfen. Innen und außen mit Salz und frisch gemahlenem Pfeffer würzen, mit den fetten Speckscheiben belegen und in die Fettfangschale des Backofens legen. Die Schale auf die mittlere Einschubleiste des Backofens schieben und 40–50 Minuten braten.

Die Kartoffeln pellen und in den letzten 20 Minuten zu den Fasanen geben. Die Kartoffeln gut im Bratfett wenden und unter öfterem Rühren goldbraun rösten.

Den Wurstring 15 Minuten vor Beendigung der Garzeit auf den Weißkohl legen und heiß werden lassen.

Weißkohl und Möhren auf einer Platte anrichten, Speck und Wurst aufschneiden und mit den Fasanenstückchen neben dem Kohl anrichten.

Die im Bratfett gegarten Fasane auf dem Weißkohlblatt anrichten.

Beilage: Röstkartoffeln.

Getränk: Halbtrockener Rosé, z. B. ein Rosé d' Anjou.

67

Salade Touvangelle
Kartoffel-Feldsalat

250 g Kartoffeln
3 Echalotten
125 ml (⅛ l) Fleischbrühe
2–3 EßI. Weinessig
150 g Feldsalat
3 hartgekochte Eier
3 EßI. Speiseöl
Salz
Pfeffer

Die Kartoffeln waschen, mit der
Schale gar kochen, abschrecken, pellen und in Würfel schneiden.
Die Echalotten abziehen und fein
hacken.
Beide Zutaten in eine Schüssel
geben.
Die Fleischbrühe mit dem Essig
erhitzen, über die Kartoffeln gießen
und alles 20 Minuten durchziehen
lassen.
Den Feldsalat verlesen, gründlich
waschen und abtropfen lassen.
Die Eier pellen, halbieren, das
Eigelb beiseite stellen und das Eiweiß
in feine Streifen schneiden.
Das Öl zu den Kartoffeln geben und
mit Salz und Pfeffer abschmecken.
Den Feldsalat und das Eiweiß unterheben. Das Eigelb durch die Knob-
lauchpresse oder durch ein Sieb
gleichmäßig über den Salat drücken.
Den Salat sofort servieren.

Gratin aux champignons
Champingnongratin
(Foto S. 69)

400 g weiße Champignons
400 g braune Champignons
4 Echalotten
30 g Butter
weißer Pfeffer (aus der Mühle)
6 EßI. Weißwein
1 Becher (200 ml) Schlagsahne
Salz
einige Tropfen Himbeeressig
2 Eigelb
3 EßI. Crème fraîche

Die weißen und braunen Champi-
gons putzen, möglichst nicht
waschen, in gleichmäßige Scheiben
schneiden (am besten mit dem Eier-
schneider).
Die Echalotten abziehen und sehr
fein würfeln.
Die Butter in einer großen Pfanne
erhitzen und die Echalotten darin
glasig dünsten.
Die Champignons dazugeben, kräftig
mit Pfeffer übermahlen und nur ganz
kurz durchschwenken.
Den Wein angießen und bei starker
Hitze fast ganz einkochen lassen.
Die Sahne hinzufügen, salzen und
einmal aufkochen lassen.
Die Champignons mit einem
Schaumlöffel aus der Sahne nehmen
und in eine Gratinform geben.

68

Fortsetzung S. 70

Die Sahne bei starker Hitze unter Rühren cremig einkochen. Mit etwas Himbeeressig, Salz und Pfeffer würzen und in die Form gießen.

Eigelb mit Crème fraîche cremig schlagen, leicht salzen und über die Pilze verteilen.

Das Gratin in dem auf 250 Grad (Gas: Etwa Stufe 6) vorgeheizten Backofen 5–8 Minuten überbacken, bis die Oberfläche goldgelb ist.

Als Beilage zu Rinder-, Schweine- oder Kalbsfilet oder zu gebratenem Fischfilet servieren.

Bouchées à la reine
Königinpasteten

---

150 g gedünstete Champignons
500 g Kalbsmilch (Kalbsbries)
1 Möhre
1 Zwiebel
30 g Butter
125 ml (⅛ l) Weißwein
250 ml (¼ l) Wasser
2–3 Thymianzweige
1 Lorbeerblatt, Salz
125 g Bratwurstmasse
30 g Butter
35 g Weizenmehl
5 Eßl. Schlagsahne
Zitronensaft
8 Blätterteigpasteten (fertig gekauft)

Die Champignons abtropfen lassen, die Flüssigkeit auffangen, die Champignons in Scheiben schneiden.

Die Kalbsmilch unter fließendem kaltem Wasser abspülen, etwa 2 Minuten in 1 l kochendes Wasser legen, in kaltem Wasser abschrecken, enthäuten und überflüssiges Fett entfernen.

Die Möhre putzen, schrappen, waschen und grob zerkleinern.

Die Zwiebel abziehen und würfeln.

Die Butter zerlassen, Möhre und Zwiebelwürfel darin andünsten.

Wein und Wasser hinzugießen.

Thymianzweige und Lorbeerblatt hinzufügen, mit Salz würzen und zum Kochen bringen.

Die Kalbsmilch (Kalbsbries) hineingeben, zum Kochen bringen und in etwa 20 Minuten gar kochen lassen.

Die gare Kalbsmilch aus der Brühe nehmen, abtropfen lassen, in Würfel schneiden und die Brühe durch ein Sieb gießen. 375 ml (⅜ l) davon abmessen, evtl. mit der Champignonflüssigkeit auffüllen.

Die Bratwurstmasse zu haselnußgroßen Klößchen formen, in kochendes Salzwasser geben und in etwa 3 Minuten gar ziehen lassen.

Die Butter (30 g) zerlassen, das Mehl unter Rühren so lange darin erhitzen, bis es hellgelb ist. Die Brühe hinzugießen, mit einem Schneebesen durchschlagen und zum Kochen bringen. Die Sauce etwa 5 Minuten kochen lassen. Champignons, Kalbsmilch und Bratwurstklößchen hinzufügen und etwa 10 Minuten in der Sauce ziehen lassen. Die Sahne unterrühren, mit Salz und Zitronensaft abschmecken.

Von den Blätterteigpasteten Hülsen und Deckel auf ein Backblech legen, in den auf 200–225 (Gas: Stufe 4–5) vorgeheizten Backofen etwa 5 Minuten aufwärmen.
Die Füllung in die Pasteten füllen, die Deckel darauf legen.

Mousse au chocolat

150 g zartbittere Schokolade
3 Eigelb, 1 Ei
50 g Zucker
2 Eßl. Weinbrand
1 Teel. Instant-Kaffee
3 Eiweiß
1 Becher (150 g) Crème fraîche

Die Schokolade in kleine Stücke brechen, in einem kleinen Topf im heißen Wasserbad oder auf der Automatikplatte zu einer geschmeidigen Masse verrühren und abkühlen lassen.
Eigelb, Ei, Zucker, Weinbrand und Instant Kaffee in einer Schüssel über Wasserdampf mit einem Handrührgerät mit Schneebesen in 5–7 Minuten schaumig schlagen.
Die Schüssel aus dem Wasserband nehmen und die Masse in etwa 5 Minuten kalt schlagen.
Das Eiweiß zu steifem Schnee schlagen, Crème fraîche, Eierschnee und die abgekühlte Schokolade unter die Eigelbmasse rühren, in Gläser füllen und gut gekühlt servieren.

Sorbet au melon
Melonensorbet

1 reife Melone (etwa 1 kg)
60–80 g Puderzucker
2 Eßl. Zitronensaft

Die Melone halbieren und die Kerne mit einem Löffel herauskratzen. Das Fruchtfleisch aus der Schale lösen, einen kleinen Teil davon in Spalten oder Würfel schneiden und zugedeckt in den Kühlschrank stellen.
Das restliche Fruchtfleisch mit dem Schneidstab des Handrührgerätes pürieren, den Puderzucker und den Zitronensaft unter das Püree mischen.
Das Püree im Gefrierfach mindestens 5 Stunden gefrieren lassen, zwischendurch mehrmals gut durchrühren, damit sich keine großen Eiskristalle bilden.
Das Püree etwa 15 Minuten vor dem Servieren herausnehmen und zunächst etwas antauen lassen. Danach das Püree mit einem Löffel etwas auflockern, mit dem Schneidstab des Handrührgerätes durchrühren und mit den Quirlen aufschlagen.
Das Sorbet in eine gekühlte Melonenhälfte oder in eine Glasschale füllen und mit den Melonenstückchen garnieren. Bei Tisch evtl. noch trokkenen Sekt darüber gießen.

Borde-
lais
et
Gas-
gogne

Ananas „Josefine"

Ananas „Josefine"

(Foto S. 72/73)

Teig:

1 Ei

3 EßI. heißes Wasser

75 g Zucker

1 Päckchen Vanillin-Zucker

100 g Zucker

100 g Weizenmehl

1 gestrichener Teel. Backpulver

5 EßI. Wasser

25 g Zucker

2–3 EßI. Kirschwasser

Creme:

1 Päckchen Gelatine gemahlen, weiß

4 EßI. kaltes Wasser

5 Eigelb

100 g Zucker

250 ml (¼ l) Milch

½ Vanilleschote

250 ml (¼ l) Schlagsahne

2–3 EßI. Kirschwaser

Speiseöl

1 Ananas

250 ml (¼ l) Schlagsahne

1 Päckchen Sahnesteif

1 gestrichener Teel. Zucker

kandierte Kirschen

Für den Teig Ei und Wasser mit einem Handrührgerät mit Rührbesen auf höchster Stufe in 1 Minute schaumig schlagen.

Zucker mit Vanillin-Zucker mischen, in 1 Minute einstreuen, dann noch etwa 2 Minuten schlagen.

Mehl mit Backpulver mischen, auf die Eiercreme sieben und auf niedrigster Stufe unterrühren.

Den Teig in eine gefettete, mit Pergamentpapier ausgelegte Springform (Durchmesser etwa 20 cm) füllen.

Die Form auf dem Rost in den auf 175–200 Grad (Gas: Stufe 3–4) vorgeheizten Backofen schieben und 20–30 Minuten backen.

Das Wasser mit dem Zucker aufkochen lassen, das Kirschwasser hinzufügen und den ausgekühlten Biskuitboden damit tränken.

Für die Creme die Gelatine mit dem Wasser anrühren und 10 Minuten zum Quellen stehenlassen.

Das Eigelb mit 100 g Zucker weißschaumig schlagen.

Die Milch mit der Vanilleschote aufkochen lassen und die Vanilleschote herausnehmen.

Die Vanille-Milch nach und nach unter die Eigelbcreme schlagen.

Die Masse so lange im Wasserbad oder auf der Automatikplatte weiterschlagen, bis sie dicklich ist.

Die gequollene Gelatine hinzufügen und so lange rühren, bis sie gelöst ist.

Die Creme unter häufigem Durchschlagen erkalten lassen.

Die Schlagsahne (250 ml) steif schlagen und unterheben. Bevor die Creme ganz fest geworden ist, sie mit dem Kirschwasser abschmecken.

Die Creme in eine mit Speiseöl gefettete Schüssel (Durchmesser etwa 20 cm) füllen und kalt stellen.

Die festgewordene Creme auf den

getränkten Biskuitboden stürzen.
Von der Ananas die Krone abschneiden. Die Ananas in dünne Scheiben
schneiden. Die Scheiben schälen, den
hölzernen Strunk aus der Mitte herausschneiden und die Ananasschei-
ben fächerartig um die Creme legen.
Die Sahne (250 ml) ½ Minute
schlagen.
Sahnesteif und Zucker mischen, einstreuen und die Sahne steif schlagen.
Die Ananas Josefine damit verzieren,
mit kandierten Kirschen garnieren
und die Ananaskrone auf die Speise
setzen.

Omelette au rhum
Rum-Omelette

6 Eier
60 g Zucker
Salz
3 Eßl. Schlagsahne
1 Eßl. Rum
Butter
etwa 250 g gekochtes Obst (Sauerkir-
schen, Pfirsiche, Aprikosen, gedünstete Apfelstückchen)
2 Eßl. Rum

Die Eier mit Zucker, Salz, Sahne und
Rum (1 Eßl.) verschlagen.
Etwas Butter in einer Stielpfanne zerlassen, die Eiermasse hineingeben
und so lange stocken lassen, bis die
untere Seite gebräunt ist (die obere

Seite muß weich bleiben). Das Obst
abtropfen lassen, die eine Hälfte des
Omelettes damit belegen und die
andere Hälfte darüber klappen.
Das Omelette auf eine vorgewärmte
Platte gleiten lassen und mit 2 Eßl.
Rum flambieren.

Parfait glacé Marie Brizard

4 Eigelb
2–3 Eßl. heißes Wasser
50–75 g Zucker
250 ml (¼ l) Schlagsahne
1 Päckchen Sahnesteif
2–3 Eßl. Anisette Marie Brizard
(Anislikör)
steifgeschlagene Schlagsahne
Pistazienkernen
kandierte Veilchen

Das Eigelb mit dem heißen Wasser
schaumig schlagen. Nach und nach
den Zucker unterschlagen.
Die Sahne mit dem Sahnesteif steif
schlagen und den Likör unterrühren.
Die Sahne vorsichtig unter die
Eigelbcreme heben, in eine mit Wasser ausgespülte Kastenform (Rehrük-
kenform) füllen und in 2–2½ Stunden
gefrieren lassen.
Das Parfait auf eine ovale Platte stürzen, mit steifgeschlagener Schlagsahne verzieren, mit Pistazienkernen
und kandierten Veilchen garnieren.

Crème de marrons
Maronencreme
(Foto S. 77)

---

500 g französische Maronen
1 Limone (unbehandelt)
250 ml (¼ l) trockener Weißwein
100 g Zucker
2–3 Eßl. Kirschwasser oder Calvados
1 Becher (150 g) Crème fraîche
4 frische Feigen

Die Maronen rundherum einritzen.
Sie in reichlich kochendem Wasser 30
Minuten kochen lassen. Dann abgießen und schnell schälen.
Die Limone waschen, abtrocknen
und die Schale abreiben.
Die Maronen mit dem Wein, dem
Zucker und der Limonenschale zum
Kochen bringen, so lange im geöffneten Topf kochen lassen, bis sie sich
leicht mit einer Gabel zerdrücken lassen. Sie etwas abkühlen lassen und
im Mixer pürieren. Dabei nach und
nach das Kirschwasser (Calvados)
tropfenweise unterschlagen.
Die Masse durch ein Sieb streichen.
Die Crème fraîche eßlöffelweise mit
einem Handrührgerät mit Rührbesen
unterschlagen.
Die Masse muß locker und schaumig
sein. Sie mindestens 1 Stunde kühl
stellen. Danach nochmals durchschlagen und bergartig auf Dessert-
tellern anrichten. Die Feigen in
Scheiben schneiden und die Maro-
nencreme damit garnieren.

Œufs à la boulangère
Eier nach Art der Bäckerin

Füllung:
100 g gekochter Schinken
4 hartgekochte Eier
30 g Butter
25 g Weizenmehl
250 ml (¼ l) Milch
1 Eigelb
2 Eßl. Schlagsahne
Salz
4 Brötchen
gehackte Petersilie

Für die Füllung den Schinken in
Streifen schneiden.
Die Eier pellen, das Eiweiß in Strei-
fen schneiden und das Eigelb grob
hacken.
Die Butter zerlassen, das Mehl unter
Rühren so lange darin erhitzen, bis es
hellgelb ist.
Die Milch hinzugießen, mit einem
Schneebesen durchschlagen und zum
Kochen bringen. Schinken- und
Eiweißstreifen hinzufügen und miter-
hitzen.
Das Eigelb mit der Sahne verschla-
gen, die Schinkenmasse damit abzie-
hen und mit Salz abschmecken.
Die Brötchen halbieren, aushöhlen
und im Backofen aufwärmen.
Die Füllung in die Brötchen geben,
mit dem Eigelb bestreuen und mit
Petersilie garnieren.
Getränk: Leichter Rotwein, z. B. ein
Gaillac.

Couscous

(6–8 Portionen)

1 kg Hammel- oder Rindfleisch
1 küchenfertiges Huhn (etwa 1,2 kg)
Salz, Pfeffer
6 Eßl. Speiseöl
2 Auberginen
4 Zucchini
3 Paprikaschoten
2 große Zwiebeln
375 g Möhren
500 g enthäutete Tomaten
(aus der Dose)
200 g tiefgekühlte Erbsen
oder Grüne Bohnen
6–8 Nelken
5 abgezogene Knoblauchzehen
2½–3 l Wasser
2 Messerspitzen Cayennepfeffer
1 Stück Stangenzimt
Currypulver
Paprika edelsüß
2 Thymianzweige
Kümmel
1 Lorbeerblatt
4 Eßl. Tomatenmark
500 g Couscous
500 ml (½ l) kochendes Wasser
4 Eßl. Speiseöl
Butterflöckchen

Für dieses Gericht benötigt man
einen großen Topf mit Dämpfeinsatz.
Das Fleisch in große Stücke schneiden, unter fließendem kaltem Waser
abspülen, trockentupfen, in große
Stücke schneiden, mit Salz und Pfeffer einreiben. Das Öl in dem Topf
erhitzen, das Fleisch von allen Seiten
gut darin anbraten.
Die Auberginen waschen, den Stiel
entfernen.
Die Zucchini waschen, evtl. schälen,
längs halbieren.
Die Paprikaschoten halbieren, entstielen, entkernen, die weißen Scheidewände entfernen, die Schoten
waschen. Die Zwiebeln abziehen.
Die Mören putzen, schrappen,
waschen.
Das Gemüse in nicht zu kleine Stücke
schneiden, mit den Tomaten und den
Erbsen (Bohnen) zu dem Fleisch
geben. Nelken, Knoblauchzehen und
Wasser hinzufügen, zum Kochen
bringen, mit Salz, Pfeffer und Cayennepfeffer würzen. Zimt, Currypulver, Paprikapulver, Thymian, Kümmel, Lorbeerblatt und Tomatenmark
dazugeben, kochen lassen.
Den Couscous auf ein Tuch geben.
Kochendes Wasser (500 ml) vorsichtig unterrühren, mit Salz würzen.
Den Couscous in den mit einem Tuch
ausgelegten Dampfeinsatz geben.
Den Einsatz in den Topf mit den
übrigen Zutaten setzen, mit dem
Deckel verschließen, dämpfen lassen. Nach etwa 1 Stunde den Couscous in eine Schüssel geben, so lange
mit einem Holzlöffel verrühren, bis
keine Klümpchen mehr vorhanden
sind.
Das Öl unterrühren, den Couscous
wieder in den Dampfeinsatz geben,
mit dem Deckel verschließen; eine

weitere Stunde dämpfen lassen.
Den garen Couscous in eine Schüssel
füllen, mit Butterflöckchen belegen.
Fleisch und Gemüse auf einer großen
Platte oder in einer Schüssel anrich-
ten.
Die Brühe pikant mit Salz, Pfeffer,
Cayennepfeffer, Paprika und Curry-
pulver abschmecken, zu dem Cous-
cous reichen.

Filet de loup – sur un lit de poireaux
Filet vom Wolfsbarsch auf einem Porreeblatt

3 große Stangen Porree
etwas Butter
Salz
2 Eßl. Wasser
3 Schalotten
½ Flasche Premières Côtes de Blaye
**6 Eßl. „Glace de Poisson" (dick ein-
gekochter Fischfond)**
**800 g Wolfsbarschfilet (ersatzweise
Filet von Lachs oder Kabeljau)**
etwas Butter
Sauce: 6 Eigelb
2 Becher (300 g) Crème fraîche
Pfeffer (aus der Mühle)
3 kleine Zucchini

Die Porreestangen putzen, waschen
und längs in streichholzlange Streifen
schneiden. Den Porree mit etwas
Butter, Salz und 2 Eßl. Wasser knapp
gar dünsten lassen und warm stellen.
Die Schalotten abziehen und fein
würfeln.
Den Wein mit den Schalotten sirup-
artig einkochen lassen und die Glace
de Poisson dazugeben (dafür wird ein
Fond aus Fischköpfen und -gräten
mit wenig Porree, Petersilie, Lorbeerblatt und Pfefferkörnern
gekocht, durchgesiebt und so lange
eingekocht, bis er ebenfalls fast sirup-
artig ist) und abkühlen lassen.
Die Fischfilets unter fließendem kaltem Wasser abspülen, trockentupfen
und in Stücke schneiden.
Den Fisch in einer beschichteten
Pfanne in wenig Butter knapp garen.
Für die Sauce das Eigelb mit dem ein-
gekochten Fond verrühren, die
Crème fraîche unterrühren und im
heißen Wasserbad bei schwacher
Hitze mit dem Schneebesen zu einer
cremigen Sauce aufschlagen. Die
Sauce nicht mehr kochen lassen.
Die Zucchini in Scheiben schneiden
und in leicht gesalzenem Wasser kurz
blanchieren.
Auf vorgewärmten Tellern die gegarten Fischfilets auf einem Blatt von
Porreestreifen anrichten. Die Zucchinischeiben darum legen, die Sauce
darüber verteilen und unter dem vorgeheizten Grill leicht überbräunen
und sofort servieren.
Beilage: Kräuterkartoffeln.
Getränk: Weißwein, z. B. ein Premières Côtes de Blaye.

Anquilles au thym
Grüner Aal auf Thymian
(Etwa 8 Portionen)

2 frische Aale (1 kg, vom Fischhändler in Stücke geteilt)
Salz
Pfeffer (aus der Mühle
6 Bund frischer Thymian

Die Fischstücke unter fließendem kaltem Wasser abspülen, trockentupfen, mit Salz und Pfeffer würzen. Den geölten Grill mit den abgespülten Thymianzweigen belegen und die Aalstücke darauf von jeder Seite etwa 15 Minuten grillen.

Huîtres panées à la poêle
Gebratene Austern

24 Austern (6 Stück pro Person)
Pfeffer
Zitronensaft
2 Eier
Semmelmehl
Butter
1 kleines Weißbrot

Die gut gewaschenen Austern mit einem Austernmesser öffnen und das Austernfleisch aus der Schale lösen. Das Austernfleisch auf ein Sieb geben und abtropfen lassen. Mit Pfeffer und Zitronensaft würzen. Die Eier verschlagen. Die Austern zuerst in den verschlagenen Eiern, dann in Semmelmehl wenden. Weißbrotscheiben herzförmig ausschneiden und in zerlassener Butter goldgelb rösten, warm stellen. Die Austern in zerlassener Butter etwa 2 Minuten unter Wenden braten, auf den gerösteten Weißbroterzen anrichten und sofort servieren. Getränk: Weißwein, ein fruchtiger Entre-deux-Mers.

Mayonnaise d'avocat
Avocado-Mayonnaise
(Foto S. 81)

1 große reife Avocado
1 Knoblauchzehe
2 Teel. Weißweinessig, Pfeffer
125 ml (⅛ l) Speiseöl

Die Avocado halbieren und den Kern herauslösen. Das Fruchtfleisch in einen Rührbecher geben und mit einem Handrührgerät mit Rührbesen glattrühren. Die Knoblauchzehe abziehen, durchpressen und mit Essig, Salz und Pfeffer zu dem Avocadomus geben. Das Öl tropfenweise unter ständigem Schlagen unterrühren. Die Mayonnaise mit Salz und Pfeffer abschmecken und zu Gemüse und kaltem Fleisch servieren.

Potage gentilhomme
Suppe nach Gutsherrenart

3 Stangen Porree (Lauch)
500 g Kartoffeln
250 g Möhren
1 Kopf Salat
50 g Butter
1 l kräftige Fleischbrühe
150 g tiefgekühlte Erbsen
2 Eigelb
3 Eßl. Schlagsahne
Salz
gehackter Kerbel

Das Gemüse putzen, waschen, das
Weiße der Porreestangen in Stücke
schneiden.
Kartoffeln und Möhren in Würfel
schneiden. Die Salatblätter in Streifen schneiden. Die Butter zerlassen,
den Porree darin andünsten.
Kartoffelwürfel und Fleischbrühe
hinzufügen, zum Kochen bringen,
etwa 25 Minuten kochen lassen.
Die Brühe mit den Kartoffelwürfeln
durch ein Sieb streichen, mit den
Möhrenwürfeln und den Salatstreifen
wieder zum Kochen bringen, etwa
10 Minuten schwach kochen lassen.
Die tiefgekühlten Erbsen hinzufügen, etwa 5 Minuten mitkochen lassen.
Das Eigelb mit Sahne verschlagen,
die Suppe damit abziehen, mit Salz
abschmecken.
Den gehackten Kerbel darüber
streuen.

Courgettes farcies à l'orientale
Zucchini auf orientalische Art

2 große Zucchini (etwa 700 g)
3 Eßl. Olivenöl
Füllung:
1 Zwiebel
1 Tomate
100 g gekochtes oder gebratenes
Fleisch (Hammel-, Kalb- oder
Schweinefleisch)
30 g Butter
100 g gekochter Brühreis (z. B.
Patna, 40 g Rohgewicht)
Salz
Pfeffer
etwas Butter (zum Einfetten)
Semmelmehl
Butterflöckchen

Die Zucchini waschen, halbieren und
entkernen.
Das Öl in einer Auflaufform erhitzen. Die Zucchinihälften hineinlegen
und im vorgeheizten Backofen so
lange dünsten lassen, bis sich das
Innere leicht herauslösen läßt (die
Schale nicht verletzen). Das Zucchi-
nifleisch fein hacken.
Für die Füllung die Zwiebel abziehen
und fein würfeln.
Die Tomate waschen und in Würfel
schneiden (Stengelansatz entfernen).
Das Fleisch ebenfalls in Würfel
schneiden.

Die Butter zerlassen und die Zwiebelwürfel darin hellgelb dünsten lassen.

Tomaten-, Zucchinischeiben, gekochten Reis hinzufügen, mitdünsten lassen und mit Salz und Pfeffer abschmecken.

Die Masse in Zucchinihälften füllen, in eine mit Butter gefettete Auflaufform geben, mit Semmelmehl bestreuen und mit Butterflöckchen belegen.

Die Form auf dem Rost in auf 200 Grad (Gas: Etwa Stufe 5) vorgeheizten Backofen schieben und 25–30 Minuten überbacken.

Rôti de porc
Schweinebraten mit Käse

1 kg Schweinefleisch (aus der Keule)
Salz
Pfeffer
Rosmarinnadeln
30 g Butter
2 Eßl. Speiseöl
125 ml (⅛ l) Wasser
250 ml (¼ l) Weißwein
150 g Schweizer Käse (in Scheiben geschnitten)
Senf
10 g Butter
2 gehäufte Teel. Weizenmehl
Zucker

Das Fleisch unter fließendem kaltem Wasser abspülen, trockentupfen, mit Salz, Pfeffer einreiben und mit Rosmarinnadeln bestreuen.

Butter (30 g) und Öl in einem Bratentopf erhitzen, das Fleisch von allen Seiten gut darin anbraten und die Hälfte von dem Wasser hinzugießen.

Den geschlossenen Topf auf dem Rost in den auf 200–225 Grad (Gas: Stufe 4–5) vorgeheizten Backofen schieben und etwa 1½ Stunden schmoren lassen.

Das Fleisch ab und zu mit dem Bratensatz begießen, verdampfte Flüssigkeit nach und nach durch den Wein ersetzen.

Das gare Fleisch achtmal tief einschneiden.

Die Käsescheiben mit Senf bestreichen und in die Fleischeinschnitte stecken. Den Braten auf Alufolie setzen, gut zusammendrücken und nochmals 5 Minuten in den vorgeheizten Backofen schieben.

Den Bratensatz mit dem restlichen Wasser und Wein auf 250 ml (¼ l) auffüllen und loskochen.

Die Butter (10 g) mit dem Mehl verrühren, zu dem Bratensatz geben, mit einem Schneebesen durchschlagen und die Sauce mit Salz, Pfeffer und Zucker abschmecken.

Den Braten auf einer vorgewärmten Platte anrichten und die Sauce getrennt dazureichen.

Beilage: Petersilienkartoffeln, Gemüseplatte oder Rosenkohl.

Getränk: Trockener Weißwein, z. B. ein Bordeaux.

Tournedos gratinés
Überkrustetes Filetsteak
(Foto S. 85)

4 Filetsteaks (je 200 g)
Pfeffer (aus der Mühle)
100 g Schalotten
1 Bund glatte Petersilie
100 g Rindermark
(aus 4–5 Markknochen)
2 Teel. grüner Pfeffer
2 Teel. Kapern
3 Teel. Dijon-Senf
1 Ei
2 Scheiben Toastbrot
Salz
30 g Butterschmalz

Die Steaks unter fließendem kaltem Wasser abspülen, trockentupfen und mit Pfeffer würzen.
Für die Kruste die Schalotten abziehen und fein hacken.
Die Petersilie unter fließendem kaltem Wasser abspülen, trockentupfen und hacken.
Die Markknochen auf dem Backblech 3 Minuten in den auf 200 Grad (Gas: Etwa Stufe 4) vorgeheizten Backofen schieben, das Mark herauskratzen und würfeln. Mark und Schalottenwürfel in einer Pfanne zusammen anbraten, bis die Schalotten gebräunt sind.
Die Masse abkühlen lassen und mit dem Handrührgerät mit Rührbesen schaumig schlagen.
Den grünen Pfeffer zerdrücken und die Kapern hacken.
Pfeffer, Kapern, Senf, Ei und die entrindeten, zerkrümelten Toastbrotscheiben unter die schaumig gerührte Rindermarkmasse kneten und mit Salz abschmecken.
Die Filetsteaks im heißen Butterschmalz von jeder Seite etwa 3 Minuten braten, auf eine feuerfeste Platte legen und die vorbereitete Masse darauf streichen. Die Steaks bei eingeschaltetem Grill auf mittlerer Einschubleiste 5–6 Minuten überkrusten und sofort servieren.
Beilage: Gemüse.
Getränk: Rotwein z. B. ein Médoc.

Émincé de veau à la crème
Geschnetzeltes in Sahnesauce

750 g Kalbsfilet oder Kalbsnuß
75 g Butter
Salz
Pfeffer
1 Zwiebel
6 Eßl. Weißwein
250 ml (¼ l) Schlagsahne
etwas Zitronensaft

Das Kalbfleisch unter fließendem kaltem Wasser abspülen, trockentupfen und in Scheiben schneiden. Die Butter zerlassen, das Fleisch unter

Fortsetzung S. 86

Wenden portionsweise darin bräunen lassen, mit Salz und Pfeffer würzen. Das Fleisch aus dem Bratfett nehmen und warm stellen.

Die Zwiebel abziehen, fein würfeln und in dem Bratfett goldgelb dünsten lassen. Mit dem Wein ablöschen, mit der Sahne aufgießen und zu einer sämigen Sauce einkochen lassen. Das Fleisch in der Sauce erhitzen. Die Sauce mit Salz, Pfeffer und Zitronensaft abschmecken.

Beilage: Petersilienkartoffeln, Grüner Salat.
Getränk: Trockener Weißwein, z. B. ein Bordeaux.

Poulet basquais
Baskisches Hähnchen
(Etwa 6 Portionen)

2 Kalbsknochen
1 Kalbshaxe, Salz
1 küchenfertiges Hähnchen (mit Innereien, etwa 1,2 kg)
1 abgezogene Zwiebel, bespickt mit
2 Gewürznelken
1 Stück Sellerie
1 Bouquet garni (Petersilie, Möhre, Lorbeerblatt, Porree)
Pfefferkörner
Farce:
100 g altbackenes Brot
1 Glas Milch
25 g roher Schinken (z. B. Bayonne)
100 g Kalbfleisch

1 abgezogene Knoblauchzehe
1 Bund Petersilie
100 g Bratwurstmasse (Kalbsbrät)
30 g Leberpastete
gerebelter Thymian
geriebene Muskatnuß
1 Ei, Pfeffer
Zitronensaft
4 Möhren
4 weiße Rüben
6 Stangen Porree
6 Scheiben Toastbrot

Kalbsknochen und Haxe unter fließendem kaltem Wasser abspülen, in kochendes Wasser geben, etwa 5 Minuten kochen lassen, herausnehmen und abtropfen lassen. Knochen und Haxe wieder in den gesäuberten Topf geben, mit kaltem Wasser auffüllen und mit Salz würzen.

Die Innereien (ohne Leber), geputzter und gewaschener Sellerie, gespickte Zwiebel, gewaschenes Bouquet garni und Pfefferkörner mit in den Topf geben, zum Kochen bringen und ab und zu abschäumen.

Für die Farce das altbackene Brot in eine Terrine bröseln und die Milch darüber gießen. Die Petersilie unter fließendem kaltem Wasser abspülen und trockentupfen. Schinken, Kalbfleisch, Hühnerleber, Knoblauch und Petersilie fein hacken.

Die Zutaten mit der Bratwurstmasse, Leberpastete, Thymian, Muskatnuß, Brot, Ei, Salz und Pfeffer gut verarbeiten.

Das Huhn mit der Farce füllen und
zunähen.
Schenkel und Flügel gegen den
Brustkorb drücken und zusammenbinden.
Das Huhn mit Zitronensaft bestreichen (damit es weiß bleibt), in die
kochende Brühe geben, zum Kochen
bringen und 2½ Stunden bei schwacher Hitze kochen lassen.
Möhren, weiße Rüben und Porree
putzen, waschen und die letzte halbe
Stunde in der Brühe mitkochen lassen.
Kurz vor dem Servieren die Brotscheiben toasten, in eine Suppenterrine legen und die Brühe darauf
gießen.
Das abgetropfte Gemüse, das tran-
chierte Huhn, die Haxe und die in
Scheiben geschnittene Farce auf
einer großen tiefen Platte anrichten
und mit der Brühe servieren.

Entrecôte à la bûcheronne

Entrecôte nach Holzfällerart

**2 Scheiben Roastbeef
(je etwa 350 g)**

1 kg Pellkartoffeln

50–75 g Speck

Salz

Pfeffer

Kräuter der Provence

2–3 Eßl. Speiseöl

etwa 300 g Steinpilze (aus der Dose)

1 Schalotte

etwa 50 g Butter

gehackte Petersilie

Das Fleisch unter fließendem kaltem
Wasser abspülen, trockentupfen und
leicht klopfen.
Die Kartoffeln pellen und in Schei-
ben schneiden.
Den Speck in Würfel schneiden und
auslassen.
Die Kartoffeln darin in etwa 15
Minuten hellbraun braten lassen und
mit Salz, Pfeffer und Kräutern der
Provence würzen.
Die Kartoffeln auf einer vorgewärmten Platte anrichten und warm stellen.
Das Öl in einer Pfanne erhitzen, das
Fleisch darin von beiden Seiten insgesamt etwa 15 Minuten braten lassen,
mit Salz und Pfeffer bestreuen und
auf die Bratkartoffeln legen.
Die Pilze abtropfen lassen.
Die Schalotte abziehen und fein würfeln.
Die Butter zerlassen, Pilze und Zwiebelwürfel darin etwa 5 Minuten dünsten lassen und mit Salz und Pfeffer
würzen.

Die Pilze über das Fleisch geben und
mit gehackter Petersilie bestreuen.
Beilage: Gemischter Salat.

Getränk: Rotwein.

Lan- guedoc Rous- sillon et Pro- vence

Bœuf en daube à la provençale
Provenzalischer Eintopf
(Foto S. 88/89)

750–1000 g Rindfleisch
2 Lorbeerblätter
4 abgezogene Knoblauchzehen
gerebelter Thymian
Salz
Pfeffer
500 ml (½ l) Weißwein
2 Eßl. Cognac
3 Eßl. Olivenöl
125 g fetter Speck
250 g durchwachsener Speck
4 Möhren
2 Zwiebeln
250 g Tomaten
100 g schwarze Oliven
1 Eßl. feingeschnittener Schnittlauch
1 Eßl. gehackte Petersilie
gerebelter Rosmarin
gerebelter Majoran
gehackte Petersilie

Das Fleisch unter fließendem kaltem Wasser abspülen, trockentupfen, in 5–6 cm große Stücke schneiden, mit den Lorbeerblättern, den Knoblauchzehen, Thymian, Salz und Pfeffer in eine Schüssel geben.
Weißwein mit Cognac und Olivenöl verrühren, über das Fleisch gießen, zugedeckt über Nacht (etwa 12 Stunden) an einem kühlen Ort stehenlassen.

Fetten und durchwachsenen Speck in Scheiben schneiden.
Die Möhren putzen, schrappen, waschen.
Die Zwiebeln abziehen.
Die Tomaten kurze Zeit in kochendes Wasser legen (nicht kochen lassen), in kaltem Wasser abschrecken, enthäuten, die Stengelansätze herausschneiden.
Die drei Zutaten in Scheiben schneiden.
Die Oliven entkernen.
Das abgetropfte Fleisch mit den übrigen Zutaten und mit Schnittlauch und Petersilie in eine gut gefettete Auflaufform schichten. Rosmarin und Majoran dazwischen streuen.
Die Form auf dem Rost in den auf 175–200 Grad (Gas: Stufe 3–4) vorgeheizten Backofen schieben.
Backzeit: Etwa 3 Stunden.
Das fertige Gericht mit gehackter Petersilie bestreuen.
Beilage: Salzkartoffeln oder Nudeln.
Getränk: Weißwein, z. B. ein trockener Côtes de Provence.

Ratatouille
Französischer Gemüsetopf
(Im Schnellkochtopf)

1 grüne und
1 gelbe Paprikaschote (je etwa 150 g)
300 g Zucchini
250 g Auberginen
3–4 Fleischtomaten

1 Zwiebel
1–2 Knoblauchzehen
3 EßI. Olivenöl
Salz
Pfeffer
gerebeltes Basilikum
gerebelter Thymian
gerebelter Majoran
200 ml (⅕ l) Wasser
3 EßI. Tomatenmark
2 EßI. gehackte Petersilie

Die Paprikaschoten halbieren, entstielen, entkernen, die weißen Scheidewände entfernen. Die Schoten waschen und in 1½–2 cm breite Streifen schneiden.
Von den Zucchini und den Auberginen die Stengelansätze abschneiden. Das Gemüse waschen, evtl. längs halbieren und in etwa ½ cm breite Scheiben schneiden.
Die Tomaten kurze Zeit in kochendes Wasser legen (nicht kochen lassen), in kaltem Wasser abschrecken, enthäuten, die Stengelansätze herausschneiden. Die Tomaten halbieren und in Scheiben schneiden.
Die Zwiebel und Knoblauchzehen abziehen, würfeln.
Das Öl im Schnellkochtopf erhitzen, Zwiebel- und Knoblauchwürfel darin andünsten. Das zerkleinerte Gemüse hinzufügen, durchdünsten lassen, mit Salz, Pfeffer, Basilikum, Thymian und Majoran würzen.
Das Wasser hinzugießen und den Schnellkochtopf schließen.
Den Kochregler erst dann auf Stufe 1

schieben, wenn reichlich Dampf entwichen ist (nach etwa 1 Minute).
Nach Erscheinen des 1. Ringes das Gemüse 2–3 Minuten garen lassen.
Den Topf von der Kochstelle nehmen. Den Kochregler langsam stufenweise zurückziehen und den Topf öffnen.
Tomatenmark unterrühren, kurz durchdünsten lassen.
Den Gemüsetopf mit Petersilie bestreuen.

Œufs „Rossini"
Eier „Rossini"

4 Eiweiß
Salz
50 g geriebener Schweizer Käse
4 Eigelb
Butterflöckchen

Das Eiweiß mit Salz steif schlagen.
Den Eierschnee gleichmäßig in eine gefettete Auflaufform verteilen.
Jewcils 4 kleine Vertiefungen in den Eierschnee eindrücken.
In jede Vertiefung etwas von dem Käse geben und jeweils 1 Eigelb hineinsetzen.
Rund um das Eigelb den restlichen Käse streuen. Mit Butterflöckchen besetzen.
Die Form auf dem Rost in den auf 175–200 Grad (Gas: Stufe 3–4) vorgeheizten Backofen schieben und etwa 15 Minuten backen lassen.

Aubergines de Roussillon

Auberginen-Gemüse

(Etwa 6 Portionen)

---

4 Auberginen
etwa 6 Tomaten (insgesamt dem
Gewicht der Auberginen entspre-
chend)
2 Knoblauchzehen
1 Gemüsezwiebel
1 Bund Petersilie
4 Eßl. Olivenöl
Salz
Pfeffer

Die Auberginen schälen und in
Scheiben schneiden.
Die Tomaten kurze Zeit in kochendes Wasser legen (nicht kochen lassen), in kaltem Wasser abschrecken,
enthäuten, die Stengelansätze herausschneiden, die Tomaten vierteln.
Die Knoblauchzehe und die Gemüsezwiebel abziehen. Knoblauch hacken
und Zwiebel in feine Scheiben
schneiden.
Die Auberginenscheiben in dem
erhitzten Öl bei mittlerer Hitze goldgelb dünsten.
Tomatenviertel, Knoblauch und
Zwiebel hinzufügen, mit Salz und
Pfeffer würzen.
Den Topf mit dem Deckel verschließen, das Gemüse 35–40 Minuten
dünsten lassen.
Vor dem Servieren die feingehackte

Petersilie unterrühren.
Das Auberginen-Gemüse zu Lamm-
kotelett oder -keule, zu Schweine-
oder Kalbsschnitzel, Frikadellen oder
Bratwurst reichen.

Potage glacé Cantaloup

Eiskalte Cantaloup-Suppe

(Foto S. 93)

---

2 mittelgroße Cantaloup-Melonen
Saft von 2–3 Zitronen
2 Eßl. Cognac
Salz
weißer Pfeffer
1 Teel. feingehackte frische Zitro-
nenmelisse
Zum Garnieren:
Zitronenmelisseblättchen

Die Melonen schälen, halbieren und
entkernen. Das Fruchtfleisch grob
würfeln und im Mixer zu etwa
1000 ml (1 l) dünnem Püree schlagen.
Alle übrigen Zutaten hinzufügen und
mit dem Handrührgerät mit Rührbesen schaumig schlagen.
Die Suppe in vorbereitete gekühlte
Teller oder Glasschalen füllen, mit
den Zitronenmelisseblättchen garnieren, sofort servieren.

Tip: Je aromatischer die Melonen,
um so köstlicher ist die Suppe.

Soupe de tomates provençale
Tomatensuppe aus der Provence

2 mittelgroße Zwiebeln

50 g Sellerieknolle (vorbereitet gewogen)

50 g Porree (vorbereitet gewogen)

75 g durchwachsener Speck

1 Knoblauchzehe

1 Eßl. Olivenöl

500 ml (½ l) Instant-Fleischbrühe

250 g Tomaten

2 Eßl. Tomatenmark (aus der Dose)

Salz, Pfeffer

gerebeltes Basilikum

gerebeltes Oregano

gerebelter Rosmarin

1 Becher (150 g) Crème fraîche

1 Eßl. gehackte Kräuter

Die Zwiebel abziehen.
Sellerie und Porree putzen und waschen.
Die 3 Zutaten und den Speck in kleine Würfel schneiden.
Die Knoblauchzehe abziehen und zerdrücken.
Das Öl erhitzen und die Zutaten darin andünsten.
Die Brühe hinzugießen, zum Kochen bringen und etwa 15 Minuten kochen lassen.
Die Tomaten kurze Zeit in kochendes Wasser legen (nicht kochen lassen), in kaltem Wasser abschrecken und enthäuten. Die Tomaten aushöhlen, das Tomatenfleisch in Würfel schneiden und mit dem Tomatenmark in die Suppe geben.
Die Suppe mit Salz, Pfeffer, Basilikum, Oregano und Rosmarin abschmecken und 2–3 Minuten kochen lassen.
Die Suppe in Suppentassen anrichten, auf jede Portion etwas Crème fraîche geben und mit Kräutern bestreuen.
Kochzeit: Etwa 18 Minuten.

Agneau à la mode d'Avignon
Lamm-Geschnetzeltes Avignoner Art

600–700 g Lammfleisch ohne Knochen (aus der Keule geschnitten)

4 Eßl. Speiseöl

1 Eßl. Butter

Salz

Pfeffer

Kräuter der Provence

1 Paprikaschote

250 g frische Champignons

2 Zwiebeln

2 Knoblauchzehen

gut 250 ml (¼ l) Rotwein

2 Becher (je 150 g) Crème fraîche

250 g Tomaten (aus der Dose)

Pilz-Sojasauce

Das Fleisch von Fett, Haut und Sehnen befreien. Anschließend unter fließendem kaltem Wasser abspülen, trockentupfen und in dünne Scheiben schneiden. Das Öl (3 Eßl.) mit der Butter erhitzen.

Die Fleischscheiben portionsweise hineingeben und unter Wenden etwa 6 Minuten (je Portion) braten. Dann aus der Pfanne nehmen, mit Salz, Pfeffer und Kräutern der Provence würzen und beiseite stellen.

Die Paprikaschote halbieren, entstielen, entkernen, die weißen Scheidewände entfernen, die Schote waschen und in Streifen schneiden.

Die Champignons putzen, waschen und in Scheiben schneiden.

Die Zwiebeln und Knoblauchzehen abziehen und würfeln. Öl (1 Eßl.) zu dem Bratfett geben, Zwiebel- und Knoblauchwürfel hinzufügen und darin andünsten. Das zerkleinerte Gemüse dazugeben, durchdünsten lassen und mit den Gewürzen abschmecken. Den Wein hinzugießen, die Zutaten in der geschlossenen Pfanne 3–4 Minuten dünsten lassen. Crème fraîche unterrühren und kurze Zeit miterhitzen. Nach Belieben die Tomaten abtropfen lassen, in Würfel schneiden, mit dem Fleisch zu dem Gemüse geben und miterhitzen.

Das Lamm-Geschnetzelte nochmals mit den Gewürzen und mit Pilz-Sojasauce abschmecken.

Beilage: Reis, Salat.

Getränk: Rotwein, z. B. ein Côtes du Rhône-Villages.

Entrecôte marchand de vin

Entrecote nach Weinhändlerart

2 Entrecôtes (je 200 g, aus dem Roastbeef geschnitten)
50 g Butter
Salz
Pfeffer
1 Schalotte
8 Eßl. Rotwein
3 Eßl. Crème fraîche

Die Entrecôtes unter fließendem kaltem Wasser abspülen, trockentupfen und etwas flach drücken.

Das Fleisch in der zerlassenen Butter von beiden Seiten anbraten, mit Salz und Pfeffer bestreuen und etwa 15 Minuten braten lassen.

Die garen Entrecôtes auf einer vorgewärmten Platte anrichten und warm stellen.

Die Schalotte abziehen, würfeln und in dem Bratfett hellgelb dünsten lassen.

Den Bratensatz mit dem Wein loskochen. Die Crème fraîche unterrühren und alles über das Fleisch geben.

Beilage: Grüne Nudeln, Feldsalat.

Getränk: Rotwein, z. B. ein Chateauneuf du Pape.

Thon au four
Gebackener Thunfisch

750 g küchenfertiger Thunfisch

Saft von ½ Zitrone (unbehandelt)

Salz

Pfeffer

1 EßI. Semmelmehl

2 Tomaten

2 Knoblauchzehen

2 EßI. Kapern

2 EßI. Speiseöl

Den Thunfisch unter fließendem kaltem Wasser abspülen, trockentupfen, in Scheiben schneiden und mit dem Saft der halben Zitrone beträufeln.
Den Fisch in eine gefettete, feuerfeste Form legen, mit Salz und Pfeffer würzen und mit dem Semmelmehl bestreuen.
Die Tomaten waschen, die Stengelansätze herausschneiden, und das Tomatenfleisch in Würfel schneiden.
Die Knoblauchzehen abziehen, fein würfeln und mit den Tomatenwürfeln auf dem Fisch verteilen, mit den Kapern bestreuen und mit Speiseöl beträufeln.
Die Form auf dem Rost in den vorgeheizten Backofen schieben und bei etwa 200 Grad (Gas: Stufe 3–4) etwa 30 Minuten backen.

Getränk: Rosé-Wein.

Salade Grenoble
Frisée-Salat „Grenoble"
(Foto S. 97)

3 Scheiben Toastbrot

50 g Butter

1 Kopf Frisée-Salat

1 große rote Zwiebel

150 g Walnußkerne

2 EßI. Weißweinessig

Pfeffer

Salz

4 EßI. Walnußöl

Das Toastbrot entrinden und würfeln.
In der zerlassenen Butter von jeder Seite goldbraun braten und beiseite stellen.
Von dem Salat die welken Blätter entfernen, die anderen vom Strunk lösen. Den Salat in reichlich Wasser gründlich waschen, aber nicht drücken. Auf einem Durchschlag abtropfen lassen oder in einem Tuch oder Drahtkorb ausschwenken.
Die Zwiebel abziehen und in dünne Ringe schneiden.
Die Walnußkerne grob zerteilen, mit den Zwiebelringen und dem Salat vermischen.
Essig, Pfeffer, Salz und Öl gut verrühren und unter den Salat geben, vorsichtig vermengen. Mit den Brotwürfeln bestreuen.

Tarte aux abricots
Aprikosentorte

200 g Weizenmehl
150 g Butter
2 EßI. kaltes Wasser, Salz
Belag:
750 g reife Aprikosen
2–3 EßI. Aprikosen-Konfitüre
Schlagsahne

Für den Teig das Mehl in eine Rührschüssel sieben. Die Butter, Wasser
und Salz hinzufügen. Die Zutaten mit
einem Handrührgerät mit Knethaken
zunächst kurz auf niedrigster, dann
auf höchster Stufe kurz durcharbeiten, anschließend auf der Tischplätte
zu einem glatten Teig verkneten.
Sollte er kleben, ihn eine Zeitlang
kalt stellen.
Den Teig etwas größer als eine Pieform (Durchmeser etwa 28 cm) ausrollen. Die gefettete Pieform damit
auslegen. Den Teigboden mehrfach
mit einer Gabel einstechen.
Für den Belag die Aprikosen
waschen, abtrocknen, halbieren, ent-
steinen, auf dem Teigboden verteilen
(mit der Rundung nach oben).
Die Form auf dem Rost in den auf
200–225 Grad (Gas: Etwa Stufe 4)
vorgeheizten Backofen schieben.
Nach etwa 25 Minuten Backzeit die
Aprikosen-Konfitüre durch ein Sieb
streichen. Evtl. mit etwas Wasser
glattrühren und die Aprikosen damit
bestreichen.

Die Aprikosentorte noch weitere 10
Minuten backen.
Gesamt-Backzeit: Etwa 35 Minuten.
Die Torte kalt oder warm mit
geschlagener Sahne servieren.

Aioli
Knoblauchmayonnaise
(Foto S. 99)

12 Knoblauchzehen
1 EßI. Senf
1 Eigelb
Salz
125 ml (⅛ l) Olivenöl
Zitronensaft
etwas lauwarmes Wasser
400 g saure Sahne
feingehackte Petersilie
feingehacktes Basilikum

Die Knoblauchzehen abziehen und
zerdrücken. Mit Senf, Eigelb und
Salz in einer Rührschüssel gut verrühren.
Das Olivenöl zuerst tropfenweise,
dann im dünnen Strahl darunter rühren. Zwischendurch mit wenig Zitronensaft und Wasser cremig rühren.
Zum Schluß die saure Sahne und die
gehackten Kräuter unterrühren.

Die Aioli als Dip zu frischem
Gemüse reichen, z. B. Fenchel,
Paprikaschoten, Zucchini, gekochten
Kartoffeln und Eiern, Lauch.

Côtelettes de porc à la mode d'Avignon
Schweinekoteletts nach Avignoner Art

4 Schweinekoteletts (je etwa 175 g)
Salz, Pfeffer
Weizenmehl
2 grüne Paprikaschoten
4 mittelgroße Tomaten
250 g Champignons
3–5 Eßl. Speiseöl
3 Eßl. Tomatenmark
125 ml (⅛ l) Rotwein
2 Eßl. gemischte, gehackte Kräuter (z. B. Petersilie, Schnittlauch, Kerbel)

Die Koteletts unter fließendem kaltem Wasser abspülen, trockentupfen und mit Salz und Pfeffer bestreuen. Das Fleisch dann in Mehl wenden.
Die Paprikaschoten halbieren, entstielen, entkernen, die Schoten waschen und in Streifen schneiden.
Die Tomaten kurze Zeit in kochendes Wasser legen (nicht kochen lassen), in kaltem Wasser abschrecken, enthäuten, die Stengelansätze herausschneiden, die Tomaten in Scheiben schneiden.
Die Pilze putzen, waschen und ebenfalls in Scheiben schneiden.
Das Öl erhitzen, die Koteletts von beiden Seiten darin anbraten, aus dem Bratfett nehmen und warm stellen.

Die Paprikastreifen in dem Bratfett andünsten und etwa 10 Minuten weiter dünsten lassen.
Tomaten- und Champignonscheiben dazugeben, durchdünsten lassen.
Tomatenmark und Rotwein hinzufügen, erhitzen, das Gemüse mit Salz und Pfeffer abschmecken.
Die Koteletts darauf legen und noch etwa 15 Minuten mitdünsten lassen.
Das Fleisch auf einer vorgewärmten Platte anrichten, das Gemüse darüber geben und mit gehackten Kräutern bestreuen.
Beilage: Salzkartoffeln, gemischter Salat oder Krautsalat.
Getränk: Junger Rotwein, z. B. ein Côtes du Rhône.

Haricots à la sauce tomate
Grüne Bohnen mit Tomaten und Basilikum

250 g frische, ausgepalte
Weiße Bohnen
Salzwasser
750 g Grüne Bohnen
1 Gemüsezwiebel (etwa 250 g)
1 Eßl. Olivenöl
1 Eßl. Butter oder Margarine
etwa 530 g Tomaten (aus der Dose)
1 Knoblauchzehe
Pfeffer (aus der Mühle)
1 Bund Basilikum

Die Weißen Bohnen waschen, in Salzwasser geben, zum Kochen bringen und in etwa 20 Minuten fast gar kochen lassen.

Die Grünen Bohnen evtl. abfädeln, waschen, evtl. einmal durchschneiden oder brechen. Die Bohnen in Salzwasser geben, zum Kochen bringen, in etwa 10 Minuten fast gar kochen lassen.

Die Zwiebel abziehen und würfeln.

Das Öl in einem großen Topf erhitzen, das Fett hinzufügen, zerlassen und die Zwiebelwürfel darin glasig dünsten. Die Tomaten abtropfen lassen, den Saft auffangen.

Die zerkleinerten Tomaten zu den Zwiebelwürfeln geben, gut miteinander vermischen.

Den Tomatensaft und die Bohnen dazugeben.

Die abgezogene Knoblauchzehe zerdrücken, zu den Bohnen geben und das Gemüse salzen und pfeffern.

Den Topf mit dem Deckel verschließen, das Gemüse zum Kochen bringen und bei schwacher Hitze in etwa 30 Minuten garen lassen.

Das Basilikum unter fließendem kaltem Wasser abspülen, trockentupfen, die Blättchen von den Stengeln zupfen, fein hacken und kurz vor Beendigung der Garzeit zu den Bohnen geben.

Nach Belieben die Sauce etwas einkochen lassen.

Beigabe: Rostbratwürste, Baguette.

Chou-fleur à ma façon

Blumenkohl auf meine Art

2 Köpfe Blumenkohl
kaltes Essigwasser
kochendes Salzwasser
400 g gekochter Schinken (Endstück)
2 hartgekochte Eier
1 abgespültes Petersiliensträußchen
80 g Butter
75 g Semmelmehl
einige Butterflöckchen

Den Blumenkohl von Blättern, schlechten Stellen und dem Strunk befreien und unter fließendem kaltem Wasser waschen.

Den Blumenkohl einige Zeit in kaltes Essigwasser legen und in kochendem Salzwasser gar kochen lassen.

Den Schinken kleinschneiden und durch den Fleischwolf drehen.

Die Petersilie und die Eier fein hakken.

Die Butter zerlassen und das Semmelmehl darin bräunen.

Den Blumenkohl abtropfen lassen und auf eine vorgewärmte Platte legen. Mit dem Schinken, Paniermehl, Eiern und der Petersilie bestreuen und mit Butterflöckchen belegen.

Beigabe: Kleine geröstete Kartoffeln.

Lyon-
nais
et
Bour-
gogne

Carré d'agneau au romarin
Lammrücken mit Rosmarin
(Foto S. 102/103)

1¾–2 kg Lammrücken
Salz, Pfeffer
3 Knoblauchzehen
3 Tomaten
2 Zwiebeln
3 Eßl. Speiseöl
3 Eßl. Rosmarinnadeln
etwas heißes Wasser
2–3 Eßl. gehackte Rosmarinnadeln
1 Ei, 2–3 Scheiben Toastbrot

Den Lammrücken von Fett und Haut befreien. Das Fleisch unter fließendem kaltem Wasser abspülen, trockentupfen und mit Salz und Pfeffer bestreuen.

Die Knoblauchzehe abziehen, durchpressen, das Fleisch damit bestreichen.

Die Tomaten waschen, die Stengelansätze herausschneiden und das Tomatenfleisch in Stücke schneiden.

Die Zwiebeln abziehen und achteln.

Einen Bratentopf mit Öl ausfetten. Die Hälfte der Rosmarinnadeln (1½ Eßl.) hineingeben, das Fleisch darauf legen. Die Tomaten- und Zwiebelstücke hinzufügen und mit den restlichen Rosmarinnadeln bestreuen.

Den Bratentopf auf dem Rost in den auf 200–225 Grad (Gas: Etwa Stufe 4) vorgeheizten Backofen schieben.

Sobald der Bratensatz bräunt, etwas heißes Wasser hinzugießen. Den Lammrücken ab und zu mit dem Bratensatz begießen, verdampfte Flüssigkeit nach und nach ersetzen.

Nach etwa 1¼ Stunden Bratzeit die Petersilie mit den gehackten Rosmarinnadeln (2–3 Eßl.) und dem Ei verrühren, mit Salz und Pfeffer würzen, auf das Fleisch streichen.

Das Brot in kleine Würfel schneiden, auf die Kräutermasse geben, etwas festdrücken und den Lammrücken etwa 15 Minuten weiterbraten lassen.

Den garen Lammrücken vorsichtig vom Knochengerüst lösen, wieder darauf geben und auf einer vorgewärmten Platte anrichten.

Den Bratensatz mit dem Gemüse durch ein Sieb streichen, mit Salz und Pfeffer abschmecken und zu dem Fleisch reichen.

Beilage: Röstkartoffeln, Grilltomaten, Broccoli.

Getränk: Ein frischer Beaujolais.

Steaks de chevreuil, sauce poivrade
Rehsteaks mit Pfeffersauce

Sauce:
375 g Reste vom Reh
(Lappen, Knochen)
1 Zwiebel
1 Möhre

---

4 Petersilienstengel
60 g Butter
1 kleines Lorbeerblatt
2 Eßl. Essig
gerebelter Thymian
Salz
125 ml (⅛ l) Rotwein
250 ml (¼ l) Wasser
1 Becher (150 g) Crème fraîche (30 %
Fett)
½ Teel. zerdrückte Pfefferkörner
4 Rehsteaks (aus der Keule geschnitten, je etwa 100 g)

Für die Sauce die Fleischreste unter
fließendem kaltem Wasser abspülen,
trockentupfen, das Fleisch kleinschneiden und die Knochen klein
hacken.
Die Zwiebel abziehen und würfeln.
Die Möhre putzen, schrappen,
waschen und in Würfel schneiden.
Die Petersilienstengel putzen,
waschen und kleinschneiden. 25 g
Butter zerlassen, die Rehreste darin
anbraten und das zerkleinerte
Gemüse, Lorbeerblatt, Essig, Thymian und Salz dazugeben. Rotwein
und Wasser hinzugießen, zum
Kochen bringen und etwa 1 Stunde
kochen lassen. Die Brühe durch ein
Sieb gießen (das Gemüse durchstrei-
chen). Die Pfefferkörner hinzufügen,
die Sauce zum Kochen bringen und
etwa 5 Minuten kochen lassen. Die
Crème fraîche unterrühren und mit
Salz und Pfeffer abschmecken.
Die Steaks unter fließendem kaltem
Wasser abspülen und trockentupfen.

30 g Butter zerlassen, die Rehsteaks
von jeder Seite etwa 5 Minuten darin
braten und mit Salz und Pfeffer
bestreuen. Die Steaks mit etwas
Sauce anrichten und die restliche
Sauce dazureichen.
Beilage: Kartoffel-Kroketten.
Getränk: Roter Burgunder, z. B. ein
Côte de Beaune.

Emincés de Gruyère „Célimène"
Gebackene Käsescheiben
„Célimène"

50 g Butter
3 Eßl. Tomatenmark
Salz
Pfeffer
Zucker
1–2 Eßl. Weinbrand
Butter
4 Scheiben Schweizer Käse
(je etwa 75 g)

Die Butter (50 g) zerlassen.
Das Tomatenmark und 3 Eßl. Wasser
hinzufügen, mit einem Schneebesen
durchschlagen, aufkochen lassen. Mit
den Gewürzen und dem Weinbrand
abschmecken.
Butter zerlassen, den Käse darin
erwärmen, auf 4 vorgewärmten Tellern anrichten, die Sauce darüber
verteilen.

Gigots de dinde
Putenkeulen

(Etwa 6 Portionen)
(Foto S. 107)

---

2 Putenkeulen mit Knochen
(je etwa 800 g), Salz
schwarzer Pfeffer, frisch gemahlen
150 g durchwachsener Speck
2 Eßl. kaltgepreßtes Olivenöl
1 Zwiebel, 1 Knoblauchzehe
3 Stangen Porree (Lauch)
3 Möhren
1 kleine Sellerieknolle
1 Bund glatte Petersilie
250 ml (¼ l) halbkräftiger Rotwein
100 ml (¹⁄₁₀ l) Schlagsahne
2 Eßl. Crème fraîche (30 % Fett)

Die Putenkeulen unter fließendem
kaltem Wasser abspülen, trockentupfen und mit Salz, Pfeffer einreiben.
Den Speck würfeln und in einem ova-
len Bräter langsam auslassen. Das Öl
hinzufügen, erhitzen und die Keulen
darin von allen Seiten anbraten.
Zwiebel und Knoblauchzehe abziehen und fein hacken. Den Porree
putzen, waschen und in Ringe
schneiden.
Die Möhren putzen, schrappen,
waschen und in Würfel schneiden.
Den Sellerie schälen, waschen und
fein würfeln.
Die Petersilie unter fließendem kaltem Wasser abspülen, trockentupfen
und fein hacken.
Alle Zutaten in den Bräter geben und

unter Rühren kurz andünsten lassen.
Von der Seite her den Rotwein angießen. Den Topf mit dem Deckel verschließen und die Keulen etwa
1 Stunde bei schwacher Hitze schmoren lassen. Nach etwa 45 Minuten die
Sahne hinzugießen und die Putenkeulen mit Crème fraîche bestreichen. Die garen Keulen herausnehmen. Das Fleisch in großen Stücken
von den Knochen lösen und auf
einer tiefen, vorgewärmten Platte
anrichten.
Das geschmorte Gemüse mit Salz
und Pfeffer abschmecken und um das
Fleisch herum anrichten.
Die Sauce getrennt dazureichen.
Beilage: Nudeln mit in Butter gerö-
stetem Semmelmehl übergossen.
Getränk: Frischer Beaujolais.

Fraises „Cardinal"
Erdbeeren „Kardinal"

---

750 g Erdbeeren
Zucker
250 ml (¼ l) Port- oder Rotwein

Die Erdbeeren waschen, gut abtropfen lassen, entstielen und mit Zucker
bestreuen.
Die Früchte einige Zeit zum Saftzie-
hen stehenlassen.
Anschließend mit dem Wein übergießen und gut durchziehen lassen.
Die Erdbeeren in Cocktail-Gläsern
anrichten.

Salade estivale sauce roquefort

Sommersalat mit Roquefort-Sauce

(Foto S. 109)

---

1 Limette (unbehandelt)
1 Kopf Batavia-Salat
1 Eßl. Walnußöl
1 Eßl. Rotweinessig
½ Salatgurke
1 mittelgroße Zwiebel
1 Stengel Minze
1 Charentais-Melone
Roquefort-Sauce:
125 g Roquefort-Käse
100 g Crème fraîche
1–2 Eßl. Zitronensaft
2–3 Eßl. Schlagsahne
Salz, Pfeffer

Die Limette heiß waschen, abtrocknen und die Schale abreiben. Die Frucht schälen und das Fruchtfleisch in dünne Scheiben schneiden.
Den Batavia-Salat putzen, zerpflükken, vorsichtig waschen, trockenschleudern und auf einer großen Servierplatte anrichten, mit dem Walnußöl und dem Rotweinessig beträufeln. Die Salatgurke waschen, evtl. schälen und in dünne Scheiben schneiden. Die Zwiebel abziehen, in dünne Scheiben schneiden und in Ringe teilen.
Die Minze unter fließendem kaltem Wasser abspülen, trockentupfen, die Blättchen von dem Stengel zupfen. Limetten-, Gurken- und Zwiebelscheiben auf den Salat geben.
Die Melone halbieren, entkernen, in Achtel schneiden. Das Fruchtfleisch in Streifen von der Schale lösen, gitterartig auf dem Salat anrichten. Für die Roquefort-Sauce den Roquefort mit einer Gabel leicht zerdrücken, mit Crème fraîche, Zitronensaft und Schlagsahne zu einer glatten Sauce verrühren, mit Salz und Pfeffer würzen und über die Salatzutaten geben.

Parfait Cherry

Likör-Sahne-Creme

---

2 Eigelb, 60 g Zucker
3–4 Eßl. Kirschlikör
500 ml (½ l) Schlagsahne
2 Päckchen Sahnesteif
etwa 100 g Löffelbiskuits
Kirschen
geraspelte Schokolade

Eigelb und Zucker schaumig schlagen. Den Likör unterrühren.
Die Sahne ½ Minute schlagen, Sahnesteif einstreuen, die Sahne steif schlagen und vorsichtig unter die Eigelbcreme heben.
Eine Glasschale mit den Löffelbiskuits auslegen, die Creme hineingeben und mit Kirschen und Schokolade garnieren.
Das Parfait Cherry sehr kalt oder halbgefroren servieren.

Escargots aux champignons
Champignonköpfe mit Schnecken
(Foto S. 111)

12 große Champignons
Füllung:
1 Schalotte
2 Knoblauchzehen
1 Eßl. Butter
Salz, Pfeffer
Kräuter der Provence
1 Becher (150 g) Crème fraîche
1 Eßl. gemischte, gehackte Kräuter
36 Schnecken (aus der Dose)

Die Champignons putzen, die Stiele vorsichtig herausdrehen, die Lamellen entfernen. Pilze und Stiele waschen, trockentupfen, die Stiele fein hacken.
Die Schalotte und die Knoblauchzehen abziehen, fein würfeln.
Die Butter zerlassen, Schalotten- und Knoblauchwürfel darin andünsten.
Die Champignonwürfel hinzufügen, durchdünsten lassen, mit Salz, Pfeffer und Kräutern der Provence würzen. Im offenen Topf etwa 5 Minuten dünsten lassen, ab und zu durchrühren.
Die Crème fraîche unterrühren und dicklich einkochen lassen.
Die Kräuter hinzufügen und mit Salz und Pfeffer abschmecken.
Die Champignonköpfe mit der Rundung nach unten in eine gefettete, feuerfeste Form legen, mit Pfeffer bestreuen. Die Schnecken abtropfen lassen, die Champignons damit füllen.
Die Kräuter-Creme auf den Schnecken verteilen.
Die Form auf dem Rost in den auf 220–225 Grad (Gas: Stufe 4–5) vorgeheizten Backofen schieben und etwa 20 Minuten überbacken.
Getränk: Trockener weißer Burgunder oder ein frischer Beaujolais.

Canapés au caviar
Kaviarschnitten

75 g Butter
etwa 50 g Kaviar (aus dem Glas)
8 sehr kleine Scheiben
Stangenweißbrot
Limettenscheiben
Zwiebelringe, Dillzweig

Die Butter geschmeidig rühren.
Knapp die Hälfte des Kaviars zerdrücken und unter die Butter rühren.
Die Weißbrotscheiben mit etwas Kaviarbutter bestreichen.
Die restliche Butter in einen Spritzbeutel mit gezackter Tülle füllen und als Kranz auf die Brotscheiben spritzen. In die Mitte den übrigen Kaviar geben. Die Kaviarschnitten mit Limettenscheiben, Zwiebelringen und einem Dillzweig belegen.
Getränk: Champagner.

Escargots bourguignonne
Schnecken auf Burgunder Art

12 Schnecken (aus der Dose)
12 Schneckenhäuser
1 Knoblauchzehe
10 g Schalotten
100 g weiche Butter
1 Teel. feingehackte Petersilie
Salz
Pfeffer, frisch gemahlen
Semmelmehl

Die Schnecken auf ein Sieb geben, abspülen und gut trocken tupfen. Knoblauchzehe und Schalotten abziehen. Die Knoblauchzehe zerdrücken und die Schalotten fein hacken.
Die Butter mit dem Knoblauch, Schalotten, Petersilie, Salz und Pfeffer gut verrühren. Etwas von der Butter in die Schneckenhäuser geben, jeweils eine Schnecke hineinstecken und mit der restlichen Butter zustreichen. Mit Semmelmehl bestreuen.
Die Schneckenhäuser in der Schneckenpfanne, in die wenig Wasser gegeben wird, so anrichten, daß die Butter nicht auslaufen kann. Die Schneckenpfanne in den auf 225 Grad (Gas: Stufe 4–5) vorgeheizten Backofen setzen, etwa 5 Minuten erhitzen, bis die Butter brodelt.
Getränk: Trockener, weißer Burgunder.

Ris de veau au thym
Kalbsbries mit Thymian

750 g Kalbsbries
500 ml (½ l) kochendes Salzwasser
2 Schalotten, 2 Eßl. Butter
Salz, Pfeffer
250 ml (¼ l) Schlagsahne
2 Eßl. Weißwein
2 Eßl. feingehackte
Thymianblättchen
1 Teel. gehackte Rosmarinnadeln

Das Kalbsbries mehrere Stunden wässern, damit es weiß wird. Das Bries zuerst mit kochendem, dann mit kaltem Wasser übergießen, damit das Bries erstarrt und die Blutäderchen besser entfernt werden können. Das Kalbsbries in das kochende Wasser geben, zum Kochen bringen und in etwa 15 Minuten gar kochen lassen. Danach aus der Flüssigkeit nehmen und in kleine Stücke schneiden. Die Schalotten abziehen und fein würfeln.
Die Butter zerlassen, die Schalottenwürfel darin goldgelb dünsten.
Die Briestückchen hinzufügen und etwa 5 Minuten braten lassen. Mit Salz und Pfeffer würzen. Nach und nach die Sahne und den Wein unterrühren und etwas einkochen lassen. Thymian und Rosmarin in die Sahne rühren; das Kalbsbries sofort servieren.
Beigabe: Stangenweißbrot.
Getränk: Trockener, weißer Burgunder, z. B. ein Pouilly-Fuissé.

Bœuf bourguignon
Rindfleisch auf Burgunder Art

750 g Rindfleisch
50 g Butter oder Margarine
15 kleine Zwiebeln
1 abgezogene Knoblauchzehe
1 Lorbeerblatt
Salz
Pfeffer
1–2 Eßl. Weizenmehl
500 ml (½ l) Rotwein
gehackte Petersilie

Das Fleisch unter fließendem kaltem Wasser abspülen, trockentupfen und in 5–6 cm große Stücke schneiden. Das Fett zerlassen.
Die Zwiebeln abziehen, mit den Fleischwürfeln in das Fett geben und ringsherum anbraten.
Die Knoblauchzehe und das Lorbeerblatt ebenfalls dazugeben und mit Salz, Pfeffer, und Thymian würzen. Das Mehl unterrühren, durchschmoren lassen. Den Rotwein hinzugießen, zum Kochen bringen und in etwa 2 Stunden gar kochen lassen.
Das Gericht mit Petersilie bestreuen.
Beilage: Salzkartoffeln, gemischter Salat.

Getränk: Roter Burgunder oder ein Côte de Nuits.

Jambon à la Florentine
Schinken à la Florentine

750 g Spinat (vorbereitet gewogen)
50 g Butter
Salz
Pfeffer
3 Eßl. Schlagsahne
8 Eßl. Milch
8 Eßl. Madeira
4 Scheiben gekochter Schinken (jede Scheibe etwa ½ cm dick)
½ Becher (75 g) Crème fraîche (30 %)

Den Spinat gründlich waschen, ihn tropfnaß in einen Topf geben, zum Kochen bringen und zusammenfallen lassen. Den Spinat dann abtropfen lassen und grob hacken.
Die Butter zerlassen und den Spinat darin etwa 6 Minuten dünsten, mit Salz und Pfeffer abschmecken.
Die Sahne unterrühren.
Den Madeira erhitzen, die Schinkenscheiben hineingeben und etwa 10 Minuten miterhitzen.
Die Schinkenscheiben auf einer vorgewärmten Platte anrichten, zur Hälfte übereinanderklappen.
Die Crème fraîche zu dem Madeira geben, sämig einkochen lassen, mit Salz abschmecken und über den Schinken geben.
Getränk: Trockener Rosé, z. B. ein Mâcon.

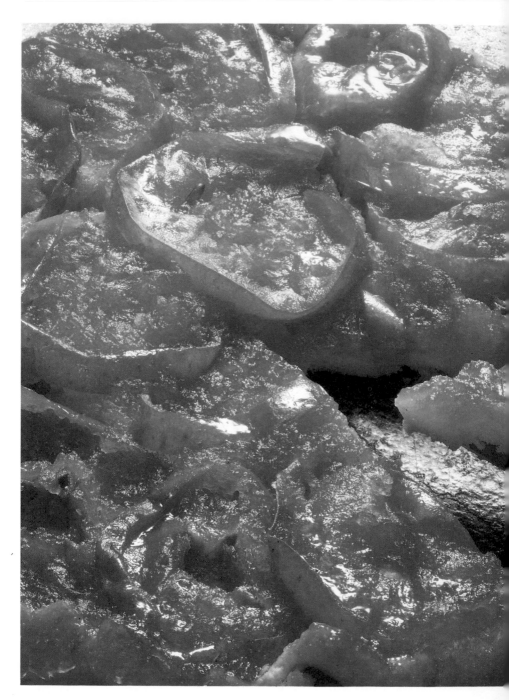

Au-vergne Li-mou-sin et Péri-gord

Tarte Tatin
Gestürzte Apfeltorte
(Etwa 12 Stück)
(Foto S. 114/115)

125 g Weizenmehl
1 Messerspitze Backpulver
75 g Zucker
Salz
1 Eigelb
100 g Zucker
175 g Butter
1 kg mürbe Äpfel

Für den Teig das Mehl mit dem Backpulver mischen und in eine Rührschüssel sieben. Den Zucker (75 g), Salz, das Eigelb und 75 g weiche Butter hinzufügen.
Die Zutaten mit einem Handrührgerät mit Knethaken zunächst kurz auf niedrigster, dann auf höchster Stufe durcharbeiten, anschließend auf der Tischplatte zu einem glatten Teig verkneten, ihn eine Zeitlang kalt stellen.
Für den Belag die Äpfel schälen, vierteln, entkernen.
Eine feuerfeste Pieform (Durchmesser etwa 28 cm) auf die Kochstelle setzen.
Die restliche Butter (100 g) darin zerlassen.
Den Zucker (100 g) hineingeben und unter Rühren karamelisieren lassen.
Die Karamelmasse darf nicht zu braun werden, da sie dann leicht bitter schmeckt.
Die Apfelviertel mit der runden Seite in die schäumende Karamelmasse legen und die Pieform auf dem Rost in den auf etwa 225 Grad (Gas: Etwa Stufe 4) vorgeheizten Backofen schieben und etwa 5 Minuten vorbakken.
Den Teig etwas größer als die Pieform-Oberfläche ausrollen.
Die Pieform aus dem Backofen nehmen und den Teig vorsichtig über die Äpfel legen und am Rand leicht andrücken. Mit einer Gabel mehrmals einstechen.
Die Form wieder in den Backofen setzen und 25–30 Minuten backen.
Die gebackene Tarte Tatim sofort auf eine Tortenplatte stürzen.
Tarte Tatim wird warm serviert mit einer nicht ganz steifgeschlagenen Vanillesahne.

Brocolis à l'hollandaise fines herbes
Broccoli mit Kräuter-Hollandaise

750 g Broccoli
1 Knoblauchzehe
1 Eßl. Butter
1 Teel. Zucker
2 l kochendes Salzwasser
Kräuter-Hollandaise:
200 g Butter
4 Eigelb
1–2 Teel. Zitronensaft

3 EßI. Weißwein

Salz, Pfeffer, Zucker

Worcestersauce

2–3 EßI. gehackte, glatte Petersilie

2–3 EßI. feingeschnittenen
Schnittlauch

2–3 EßI. gehackter Dill

1 EßI. gehackte Thymianblättchen

2–3 EßI. gehackte Basilikumblättchen

2–3 EßI. gehackter Kerbel

Von dem Broccoli die Blätter entfernen. Die Stengel am Strunk schälen, bis kurz vor den Röschen kreuzförmig einschneiden und waschen. Die Knoblauchzehe abziehen, durchpressen, mit dem Broccoli, Butter und Zucker in 2 l kochendes Salzwasser geben und zum Kochen bringen. 8–10 Minuten kochen, abtropfen lassen, auf einer vorgewärmten Platte anrichten, warm stellen.

Für die Kräuter-Hollandaise 200 g Butter in einem kleinen Kochtopf erhitzen, abschäumen, bis die Butter klar ist.
Das Eigelb mit Zitronensaft und Wein im Simmertopf oder in einem Topf im heißen Wasserbad verschlagen, mit Salz, Pfeffer, Zucker, Worcestersauce würzen.
Die Masse mit einem Handrührgerät mit Rührbesen in etwa 5 Minuten schaumig schlagen.
Die flüssige, warme Butter tropfenweise unterrühren, zu einer cremigen Sauce aufschlagen.

Die Kräuter unterrühren.
Die Kräuter-Hollandaise evtl. mit Salz, Pfeffer abschmecken und mit dem Broccoli servieren.

Champignons à la crème
Sahne-Champignons

500 g Champignons

1 Zwiebel

30 g Butter

100 ml Weißwein

1 Becher (150 g) Crème fraîche

Salz

Pfeffer

Zitronensaft

Worcestersauce

1 EßI. gehackte Kräuter

Die Champignons putzen und waschen (große Köpfe halbieren).
Die Zwiebel fein würfeln.
Die Butter zerlassen, die Zwiebelwürfel darin andünsten und den Weißwein hinzugießen.
Die Champignons hinzufügen und im zugedeckten Topf gar dünsten lassen (Flüssigkeit muß zur Hälfte eingekocht sein).
Die Crème fraîche unterrühren, kurz aufkochen lassen und mit Salz, Pfeffer, Zitronensaft und Worcestersauce abschmecken.
Das Gericht mit Kräutern bestreut anrichten.
Dünstzeit: Etwa 20 Minuten.

Salade d'été au Fourme d'Ambert

Feiner Sommersalat mit Fourme d'Ambert

(Foto S. 119)

---

200 g Langusten (ersatzweise geschalte Shrimps)
2 kleine Eier
250 g Kenia- oder Prinzeßbohnen
Salz
1 kleiner Kopf Eichblattsalat
½ Kopf Friséesalat
5 Frühlingszwiebeln
8 Blatt Sauerampfer
2 Stengel Minze
2 reife, feste Birnen
etwas Zitronensaft
200 g Fourme d'Ambert oder anderen Bleu-Käse
1 Teel. Dijon-Senf
Zucker
3 Eßl. Cassis- oder Rotweinessig
4–5 Eßl. kaltgepreßtes Olivenöl
weißer Pfeffer (aus der Mühle)

Die Langusten auftauen lassen, kurz unter fließendem kaltem Wasser abspülen und gut abtropfen lassen. Die Eier in etwa 6 Minuten nicht ganz hart kochen lassen, abschrecken und pellen.
Die Bohnen putzen, waschen, in reichlich Salzwasser kurze Zeit kochen lassen (sie müssen noch Biß haben).
Eichblatt- und Friséesalat zerpflük-ken, waschen und trockenschleudern.
Die Frühlingszwiebeln putzen, in dünne Ringe schneiden und waschen, Sauerampfer- und Minzblätter kurz abspülen, trockentupfen und in Streifen schneiden.
Die Birnen schälen, vierteln, das Kerngehäuse entfernen, würfeln und mit Zitronensaft beträufeln.
Den Käse grob würfeln.
Senf mit Zucker, Salz und Essig verrühren, nach und nach das Öl hinzufügen.
Eine große Platte mit Eichblatt- und Friséesalat belegen und mit einem Teil der Salatsauce beträufeln.
Kräuter und Frühlingszwiebeln darauf streuen, die Bohnen darauf legen und mit Sauce beträufeln.
Die Langusten, Käse- und Birnenwürfel darauf verteilen, mit den geviertelten Eiern garnieren, die restliche Sauce darüber verteilen.
Die Salatzutaten mit Pfeffer bestreuen.
Beigabe: Baguette, Butter.

Tip: Der Fourme d'Ambert ist ein milder zarter Edelpilzkäse aus dem „Massive Centrale". Der wie eine kleine Säule oder wie ein Baumstamm aussehende, delikate Käse sollte auf keinem Käse-Bufett fehlen. Ebensogut eignet er sich als Salatzutat und zum Verfeinern von Saucen und Suppen.

118

119

Tournedos Cordon Rouge

Lendenschnitten Cordon Rouge

Morchelrahmsauce:

125 g Morcheln (aus der Dose)

30 g Butter

125 ml (⅛ l) Schlagsahne

Salz, Pfeffer

40 g Butter

4 Lendenschnitten (Filetsteaks, je etwa 125 g)

4 Scheiben roher Schinken

4 Scheiben Gänsepastete (je etwa ½ cm dick, aus der Dose)

4 Blätterteigpasteten (fertig gekauft)

gedünstete Tomaten

gedünstete Spargelköpfe

Für die Morchel-Rahmsauce die Morcheln abtropfen lassen, in Würfel schneiden, 5 Eßl. von der Flüssigkeit abmessen.
Die Butter (30 g) zerlassen, die Morchelwürfel darin andünsten. Die Morchelflüssigkeit (5 Eßl.) und die Sahne hinzufügen, mit Salz und Pfeffer abschmecken.
Die Sauce so lange einkochen lassen, bis sie sämig ist (etwa 15 Minuten).
Die Filetsteaks unter fließendem kaltem Wasser abspülen, trockentupfen.
Die Butter zerlassen, die Steaks von beiden Seiten darin braten (insgesamt 6–8 Minuten), mit Salz und Pfeffer bestreuen.

Den Bratensatz zu der Morchelsauce geben.
Die Lendenschnitten quer einschneiden. Jeweils 1 Scheibe Schinken und Gänsepastete in jede Lendenschnitte legen.
Von den Pasteten die Hülsen halbieren, mit den Deckeln auf ein Backblech legen, im vorgeheizten Backofen etwa 5 Minuten erwärmen.
Die Pastetenhälften auf einer vorgewärmten Platte mit Tomaten und Spargelköpfen anrichten.
Die Lendenschnitten darauf setzen, mit den übrigen Pastetenhälften belegen. Etwas Morchelsauce hineingeben, die Deckel auf die Pasteten legen, die restliche Morchelsauce getrennt dazureichen.
Beigabe: In Butter geschwenkter Spinat, Schmelzkartoffeln.
Getränk: Kräftiger Rotwein, z. B. ein Corbières.

Côtelettes de veau à la Maintenon

Kalbskoteletts „Maintenon"

4 Kalbskoteletts (je etwa 175 g)

Salz

Pfeffer

40 g Butter

125 g Champignons

30 g Butter

1 gestrichener Eßl. Weizenmehl

125 g gekochter Schinken

1 Trüffel (aus der Dose)

1 Eigelb

2 Eßl. Schlagsahne

40 g geriebener Schweizer Käse

Butterflöckchen

125 ml (⅛ l) Weißwein

1 gehäufter Teel. Tomatenmark

Zucker

Die Koteletts unter fließendem kaltem Wasser abspülen, trockentupfen, leicht klopfen, mit Salz und Pfeffer bestreuen.

Die Butter (40 g) zerlassen, die Koteletts von beiden Seiten insgesamt etwa 10 Minuten darin braten.

Die Champignons putzen, waschen, in Scheiben schneiden.

Die Butter (30 g) zerlassen, die Champignons darin dünsten lassen (8–10 Minuten), das Mehl darüber stäuben, miterhitzen. Unter ständigem Rühren nach und nach 4–5 Eßl. kaltes Wasser hinzufügen.

Den Schinken in Würfel, den Trüffel in dünne Scheiben schneiden, beide Zutaten zu den Pilzen geben.

Das Eigelb mit der Sahne verschlagen, die Pilzmasse damit abziehen, mit Salz und Pfeffer abschmecken.

Die Koteletts in eine Auflaufform legen, die Pilzmasse darauf verteilen, mit dem Käse bestreuen.

Die Butterflöckchen darauf setzen, im vorgeheizten Backofen bei 225–250 Grad (Gas: Etwa Stufe 4–5) 15–20 Minuten überbacken.

Den Bratensatz der Koteletts mit dem Wein loskochen, das Tomatenmark unterrühren.

Die Sauce dicklich einkochen lassen, mit Salz, Pfeffer und Zucker abschmecken, über die Koteletts geben.

Getränk: Weißwein, z. B. ein trockener Corbières.

Granité au Vin Rouge
Rotwein-Sorbet

1 Orange

1 Banane

½ Zitrone

1 Flasche Rotwein, z. B. ein Côtes de Bourg

175 g Zucker

1 Messerspitze gemahlener Zimt

2 Gewürznelken

Pfefferkörner

Die Früchte schälen und in kleine Stücke schneiden.

Früchte, Wein, Zucker und Gewürze in einen Topf geben, zum Kochen bringen, durch ein feines Sieb passieren und in eine flache Form füllen.

Die Masse ins Gefrierfach stellen.

Von Zeit zu Zeit mit einer Gabel durchrühren. Die Masse so lange kühlen, bis sie völlig durchgefroren ist (etwa 12 Stunden).

Filets de cerf au porto
Hirschsteaks mit Portwein-Sauce
(Foto S. 123)

Portwein-Sauce:

75 g fetter Speck

500 g Wildknochen

1 Bund Suppengrün

1 Zwiebel

250 g Pfifferlinge (aus der Dose)

125 ml /⅛ l) Portwein

2 zerdrückte Wacholderbeeren

Salz, Pfeffer

gerebelter Thymian

knapp 125 ml (⅛ l) Portwein

1 Teel. Johannisbeer-Gelee

1 Messerspitze Senf

gemahlener Zimt

1 Becher (150 g) Crème fraîche

4 Hirschsteaks (je etwa 150 g)

3 Eßl. Butter

1 gewürfelte Schalotte

2 kleine Äpfel

2 Eßl. Butter

6 Eßl. Calvados

Für die Portwein-Sauce den Speck in Würfel schneiden, ausbraten.

Die Wildknochen unter fließendem kaltem Wasser abspülen, trockentupfen und in dem Speckfett von allen Seiten gut anbraten.

Das Suppengrün putzen, waschen, kleinschneiden.

Die Zwiebel abziehen, vierteln.

Beide Zutaten zu den Knochen geben, kurze Zeit mitbraten lassen.

Die Pfifferlinge abtropfen lassen, die Pilzflüssigkeit auffangen, mit Wasser auf 250 ml (¼ l) Flüssigkeit auffüllen.

Die Pilzflüssigkeit mit dem Portwein und den Wacholderbeeren zu den Knochen geben, mit Salz, Pfeffer, Thymian würzen, zugedeckt etwa 1 Stunde kochen lassen.

Die Knochen entfernen, die Flüssigkeit mit Suppengrün und Zwiebel durch ein Sieb rühren.

Die Flüssigkeit auf 200 ml (⅕ l) einkochen lassen. Knapp 125 ml (⅛ l) Portwein hinzugießen.

Johannisbeer-Gelee, Senf und Zimt hinzufügen, nochmals auf etwa 200 ml (⅕ l) einkochen lassen.

Die Crème fraîche unterrühren, erhitzen, die Sauce mit Salz und Pfeffer abschmecken.

Die Steaks unter fließendem kaltem Wasser abspülen, trockentupfen.

Die Butter (2 Eßl.) in einer Flambierpfanne auf dem Rechaud erhitzen.

Die Hirschsteaks von beiden Seiten darin braten (etwa 15 Minuten), mit Salz, Pfeffer, Thymian würzen, herausnehmen, zugedeckt warm stellen.

1 Eßl. Butter in das Bratfett geben, die gewürfelte Schalotte darin glasig dünsten lassen.

Die Pfifferlinge hineingeben, mit Salz und Pfeffer würzen, etwa 4 Minuten dünsten lassen, herausnehmen, warm stellen.

Die Äpfel schälen, das Kerngehäuse mit einem Apfelausstecher herausstechen. Die Äpfel in etwa 1 cm dicke Scheiben schneiden.

122

Fortsetzung S. 124

2 Eßl. Butter in der Flambierpfanne auf dem Rechaud erhitzen, die Apfelscheiben von beiden Seiten insgesamt etwa 6 Minuten darin braten lassen, herausnehmen.

Die Hirschsteaks wieder in die Flamierpfanne geben, die Pfifferlinge darauf und rundherum verteilen.

Darauf die Apfelscheiben geben, mit dem Calvados flambieren, sofort mit der Portwein-Sauce servieren.

Beilage: Kartoffel-Quark-Kroketten. Getränk: Kräftiger, roter Rhônewein, z. B. ein Crozes-Hermitage.

Médaillons de porc à l'estragon

Schweinemedaillons in Estragon

Etwa 300 g Schweinefilet
Salz
Pfeffer
1 Eßl. Weizenmehl
1 Zwiebel
30 g Butterschmalz
gut 3 Eßl. Weißwein
1 Becher (150 g) Crème fraîche
Speisewürze
Worcestersauce
1 Eßl. feingeschnittener Estragon

Das Fleisch unter fließendem kaltem Wasser abspülen, trockentupfen, von den Sehnen befreien, in 4–6 Scheiben schneiden, mit Salz und Pfeffer bestreuen und in Weizenmehl wenden.

Die Zwiebel abziehen und würfeln.

Das Butterschmalz erhitzen und das Fleisch von beiden Seiten darin in etwa 5 Minuten braun braten.

Das Fleisch auf einer vorgewärmten Platte anrichten, warm stellen.

Die Zwiebelwürfel in dem Bratfett glasig dünsten lassen.

Den Weißwein hinzufügen.

Die Crème fraîche unterrühren und kurz aufkochen lassen.

Die Sauce mit Speisewürze und Worcestersauce abschmecken, den Estragon und das Fleisch hinzufügen und nochmals kurz erhitzen.

Beilage: Stangenspargel und Salzkartoffeln.

Getränk: Trockener Weißwein, z. B. ein Côtes du Rhône.

Fenouils à la vénitienne

Fenchel, venezianisch

4 Fenchelknollen
500 ml (½ l) kochendes Salzwasser
1 Eßl. Zitronensaft
Butter, 1 Zwiebel
3 Knoblauchzehen
500 g Tomaten
30 g Butter
125 ml (⅛ l) Wasser
gerebelter Thymian
gerebeltes Basilikum

1 Lorbeerblatt

Salz, Pfeffer

gehackte Petersilie

75 g geriebener Schweizer Käse

Butterflöckchen

Die Fenchelknollen waschen, braune Stellen abschneiden, die Knollen entstielen.
Die Knollen mit dem Zitronensaft in das kochende Salzwasser geben, in etwa 10 Minuten gar kochen, abtropfen lassen, halbieren. Die Fenchelhälften in eine mit Butter gefettete Auflaufform geben.
Die Zwiebel abziehen und würfeln.
Die Knoblauchzehen abziehen und zerdrücken.
Die Tomaten waschen, die Stengelansätze herausschneiden, die Tomaten in Scheiben schneiden.
Die Butter (30 g) zerlassen, die Zwiebelwürfel darin hellgelb dünsten lassen. Knoblauch und Tomatenscheiben hinzufügen, mitdünsten lassen.
125 ml (⅛ l) Wasser, Kräuter und Gewürze hinzufügen, zum Kochen bringen, in etwa 30 Minuten gar kochen lassen.
Die Tomaten durch ein Sieb streichen.
Die Fenchelknollen mit der Hälfte von dem Käse bestreuen, die Tomatensauce darüber geben, mit dem restlichen Käse bestreuen.
Die Butterflöckchen darauf setzen, im vorgeheizten Backofen bei 225 Grad (Gas: Stufe 4–5) etwa 15 Minuten überbacken.

Crème de poireaux froide

Kalte Lauchsuppe mit Räucherstreifen

400 g Lauch (Porree)

50 g Butter, Salz

1 Teel. Hühnersuppenpaste

1 Eßl. Zitronensaft

100 g Räucherlachs

Die grünen Enden von den Lauchstangen abschneiden. Die Stangen putzen, in Ringe schneiden und gründlich waschen. 50 g Lauchringe beiseite stellen.
Die Butter zerlassen, den Lauch und eine Prise Salz hinzufügen und unter Rühren glasig dünsten lassen.
Die Hühnersuppenpaste in 500 ml (½ l) heißem Wasser auflösen, zum Lauch gießen, erhitzen und etwa 8 Minuten bei schwacher Hitze kochen lassen.
Den garen Lauch in der Flüssigkeit mit dem Schneidstab des Handrührgerätes pürieren.
Die restlichen Lauchringe (1 Teel. zurücklassen) in die heiße Suppe geben. Die Suppe mit Zitronensaft und Salz abschmecken, kalt stellen.
Kurz vor dem Servieren den Räucherlachs in dünne Streifen schneiden.
Die eiskalte Suppe mit den Lachsstreifen und den restlichen Lauchringen garnieren.

125

Œufs brouillés
à la catalane
Rührei à la Catalane

1 grüne Paprikaschote (etwa 150 g)
50 g Butter
5–6 enthäutete Tomaten
8 Eier
Salz
Pfeffer
6 Eßl. Schlagsahne
gehackte Petersilie

Die Paprikaschote halbieren, entstielen, entkernen, die weißen Scheidewände entfernen, die Schote waschen, in Streifen schneiden.
Die Butter in einer Stielpfanne zerlassen, die Paprikaschote darin andünsten.
2–3 Eßl. Wasser hinzufügen, die Paprikastreifen in etwa 5 Minuten gar dünsten lassen.
Die Tomaten in Scheiben schneiden (Stengelansätze herausschneiden).
Die Eier mit Salz, Pfeffer und Sahne verschlagen, mit den Tomatenscheiben zu den Paprikastreifen geben.
Sobald die Eiermasse zu stocken beginnt, sie mit einem Löffel schichtweise vom Boden der Pfanne losrühren (das Rührei muß weich und großflockig sein).
Das Rührei auf einer vorgewärmten Platte anrichten und mit gehackter Petersilie bestreuen.

Marrons
Maronengemüse
(Foto S. 127)

750 g Maronen
2 Echalotten
50 g Butter
Cayennepfeffer
Salz
evtl. gehackte Petersilie

Die Maronen rundherum einritzen, auf ein Backblech legen und in den auf etwa 200 Grad (Gas: Etwa Stufe 3) vorgeheizten Backofen schieben.
Die Maronen etwa 15 Minuten rösten, bis die Schalenspitzen sich ganz nach außen gebogen haben.
Die Maronen schälen, darauf achten, daß auch alle Teile der hellen Innenhaut entfernt werden.
Die Echalotten schälen und fein würfeln.
20 g Butter zerlassen, die Echalotten darin glasig braten.
Die übrige Butter hinzufügen und kurz aufschäumen lassen.
Die Maronen hineingeben, mit Cayennepfeffer und Salz würzen.
Unter häufigem Rütteln etwa 2 Minuten braten und sofort servieren.
Die Maronen nach Belieben mit gehackter Petersilie bestreuen.
Die Maronen als Beilage zu Schweine- oder Rinderbraten, zu Geflügel oder Wild servieren.

Ile de France

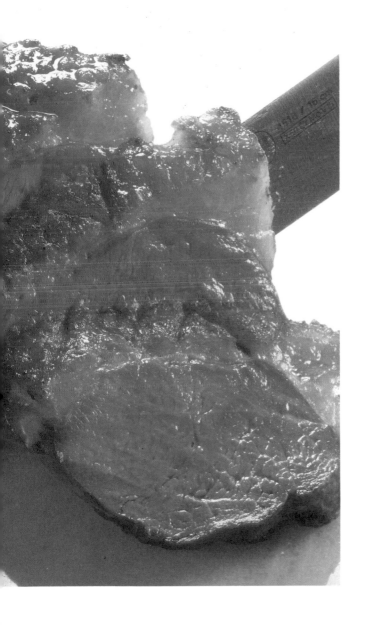

Filets de canard sauce à l'oranges
Entenbrust mit Orangen-Sauce
(Fotos S. 128/129)

Fleisch:
2 Entenbrüste ohne Knochen (je etwa 400 g)
Salz, Pfeffer
30 g Butter
1 Teel. Honig
4–5 Eßl. Grand Manier
Sauce:
Schale von 1 Orange (unbehandelt)
Saft von 1 Orange
1 Becher (150 g) Crème fraîche
Honig

Die Entenbrüste unter fließendem kaltem Wasser abspülen, trockentupfen, mit Salz und Pfeffer bestreuen. Die Butter in einer Pfanne erhitzen. Die Entenbrüste darin von beiden Seiten etwa 15 Minuten braten. Etwas von dem Fett abschöpfen. Kurz vor Beendigung der Bratzeit die Haut der Entenbrüste mit dem Honig bestreichen, mit Grand Manier flambieren.
Die Entenbrüste aus dem Bratensatz nehmen, auf einer vorgewärmten Platte anrichten, warm stellen. Für die Orangensauce die Orangenschale in feine Streifen schneiden. Die Streifen mit dem Orangensaft zu dem Bratensatz geben und erhitzen. Die

Crème fraîche unterrühren, zum Kochen bringen und etwas einkochen lassen.
Die Sauce mit Salz, frisch gemahlenem Pfeffer und Honig abschmecken und zu den Entenbrüsten reichen.

Œufs avec sauce truffé
Eier mit Trüffelsauce
(Etwa 6 Portionen – Foto S. 131)

12,5 g schwarze Trüffelstücke (1 kleine Dose), 6 Eier
100 g Crème fraîche
1 Eigelb
1 Tube (25 g) schwarze Trüffelpaste
2 Teel. Madeira, 2 Teel. Cognac
1 Kästchen Kresse

Die Trüffelstücke in dünne Streifen schneiden. Die Eier etwa 4½ Minuten kochen (das Eiweiß muß gerade fest sein), abschrecken, pellen und zugedeckt warm stellen.
Die Crème fraîche in einen kleinen Topf geben, unter ständigem Rühren kurz aufkochen lassen. Den Topf von der Kochstelle nehmen.
Mit einem Schneebesen Eigelb und Trüffelpaste unterrühren, mit Madeira und Cognac verfeinern.
Die Eier halbieren, auf Glastellern anrichten, mit der Trüffelsauce übergießen, mit der abgespülten Kresse und den Trüffelstreifen garnieren.
Beigabe: Toastbrot.

131

Bœuf Stroganoff

600 g Rinderfilet
2 Zwiebeln
3–4 Tomaten
250 g Champignons
Zitronensaft
2–3 Gewürzgurken
Butterschmalz
Salz
Pfeffer
1–1½ Becher (150–225 g)
Crème fraîche
1–2 Teel. Senf
Pilz-Sojasauce

Das Rinderfilet unter fließendem kaltem Wasser abspülen, trockentupfen und in etwa 3 cm lange, dünne Streifen schneiden.
Die Zwiebeln abziehen und würfeln.
Die Tomaten kurze Zeit in kochendes Wasser legen, in kaltem Wasser abschrecken, enthäuten, die Stengelansätze herausschneiden. Die Tomaten halbieren, entkernen und das Tomatenfleisch in Streifen oder Würfel schneiden.
Die Champignons putzen, waschen, in Scheiben schneiden und mit Zitronensaft beträufeln.
Die Gewürzgurken in Würfel oder Streifen schneiden.
Butterschmalz in einer Pfanne erhitzen, die Fleischstreifen darin portionsweise jeweils etwa 5 Minuten braten, herausnehmen, mit Salz und Pfeffer würzen. Die Zwiebelwürfel in

dem Bratfett andünsten, Tomatenwürfel oder -streifen, Champignonscheiben hinzufügen und etwa 5 Minuten dünsten lassen.
Die Crème fraîche und den Senf unterrühren und die Gewürzgurkenstreifen oder -würfel hinzufügen.
Das Gericht mit Salz, Pfeffer und Pilz-Sojasauce würzen.
Die Fleischstreifen hinzufügen, miterhitzen und das Gericht sofort servieren. Beilage: Grüne Nudeln, Salat.

Filet d'agneau
Lammfilet (2–3 Portionen)

Sauce:
Lammrücken-Knochen (in 3 Stücke
zerteilt)
2 Eßl. Speiseöl
1 Bund Suppengrün
100 g frische Champignons
1 Zwiebel
1 Knoblauchzehe
1 Zweig Thymian
1 Zweig Rosmarin
1 Lorbeerblatt
500 ml (½ l) Wasser
125 ml (⅛ l) Weißwein
Fleisch:
1 kg Lammrücken (Filet vom
Schlachter auslösen lassen)
Salz
Pfeffer
gehackte Thymianblättchen
30 g Butterschmalz
3–4 Eßl. Weinbrand

Für die Sauce die Knochenstücke unter fließendem kaltem Wasser abspülen, trockentupfen.
Das Öl erhitzen, die Lammknochen gut darin anbraten, herausnehmen.
Das Suppengrün und die Pilze putzen, waschen und kleinschneiden.
Zwiebel und Knoblauchzehe abziehen, würfeln und mit dem zerkleinerten Gemüse in dem Bratfett kräftig andünsten. Die Kräuterzweige vorsichtig unter fließendem kaltem Wasser abspülen, trockentupfen, mit den Knochenstücken und dem Lorbeerblatt zu dem Gemüse geben.
Wasser und Wein hinzugießen, zum Kochen bringen, im geschlossenen Topf etwa 20 Minuten kochen lassen. Etwa weitere 40 Minuten im geöffneten Topf kochen lassen und die Brühe bis auf etwa 200 ml (⅕ l) einkochen lassen. Die Knochen herausnehmen. Die Brühe mit dem Gemüse durch ein Sieb streichen, mit Salz und Pfeffer würzen, warm stellen.
Das Fleisch unter fließendem kaltem Wasser abspülen, trockentupfen, mit Salz, Pfeffer und Thymianblättchen bestreuen.
Das Butterschmalz in einer Pfanne erhitzen. Die Filets darin rundherum insgesamt 12–15 Minuten braten, mit dem Weinbrand flambieren.
Die Lammfilets schräg in Scheiben schneiden, mit der Sauce anrichten.
Beilage: Röstkartoffeln, Prinzeßböhnchen.
Getränk: Weißwein, z. B. ein Côtes du Rhône.

Pâté de gibier
Wildpastete

250 g gebratenes Wildfleisch (Reh, Hirsch, Hase)
Sauce:
30 g Butter
30 g Weizenmehl
125 ml (⅛ l) heißes Wasser
2 Eier
125 ml (⅛ l) Schlagsahne
Salz
Pfeffer
Zum Ausstreichen für die Förmchen:
Butter oder Margarine

Das Fleisch kleinschneiden und durch den Fleischwolf drehen.
Für die Sauce die Butter zerlassen. Das Mehl unter Rühren so lange darin erhitzen, bis es hellgelb ist. Das Wasser hinzugießen, mit einem Schneebesen durchschlagen, darauf achten, daß keine Klumpen entstehen, zum Kochen bringen. Das Fleisch dazugeben und unter Rühren aufkochen lassen. Die Masse etwas abkühlen lassen.
Die Eier mit der Sahne unter die Fleischmasse rühren, mit Salz und Pfeffer abschmecken.
Kleine Auflaufförmchen mit Fett ausstreichen. Die Fleischmasse hineinfüllen und im auf 200–225 Grad (Gas: Stufe 5–6) vorgeheizten Backofen etwa 30 Minuten backen.
Die Pastetchen auf Dessertteller stürzen, Apfelmus dazureichen.

Brie farci aux limons
Brietorte mit Limettenfüllung
(4–6 Portionen)
(Foto S. 135)

400 g Tortenbrie
1 Limette (unbehandelt)
6 Blatt Sauerampfer
1 Stengel Minze
1 Stengel Basilikum
150 g Doppelrahm-Frischkäse
4 Eßl. Crème fraîche
schwarzer oder grüner Pfeffer

Den Tortenbrie mit einem scharfen Messer (gut geeignet ist ein Lachsmesser) längs halbieren, so daß zwei flache, gleichgroße Stücke entstehen. Die Limette mit heißem Wasser abspülen, trockenreiben und die Schale abreiben. Die Frucht halbieren, eine Hälfte davon auspressen. Sauerampfer, Minze und Basilikum unter fließendem kaltem Wasser abspülen, trockentupfen. Minze- und Basilikumblättchen von den Stengeln zupfen, alle Blätter fein hacken. Den Frischkäse mit der Crème fraîche und dem Limettensaft im Mixer cremig schlagen. Limettenschale und Kräuter hinzufügen. Die Schnittflächen der Briehälften mit reichlich Pfeffer bestreuen und ihn etwas andrücken. Eine Briehälfte mit der Limettencreme bestreichen und die andere Hälfte darauf legen. Nicht zu fest andrücken. Den gefüllten Käse in Klarsichtfolie einwickeln, etwa 1 Stunde in den Kühlschrank legen. Die Brietorte etwa 10 Minuten vor dem Servieren wieder aus dem Kühlschrank herausnehmen. Getränk: Fruchtiger Rotwein, z. B. ein Beaujolais.

Rognons de veau parisienne
Pariser Kalbsnierenbraten

2 Kalbsnieren (je etwa 250 g)
Butterschmalz
1 Zwiebel
1–2 Knochlauchzehen
125 g frische Champignons
Salz, Pfeffer
1 Becher (150 g) Crème fraîche
125 g gekochte Schinkenscheiben
Weinbrand

Die Kalbsnieren längs halbieren, von Fett und Adern befreien. Die Nieren unter fließendem kaltem Wasser abspülen, trockentupfen und in dünne Scheiben schneiden. Etwas Butterschmalz in einer Pfanne auf der Kochstelle erhitzen. Die Nierenscheiben 3–4 Minuten darin anbraten, herausnehmen, warm stellen.

134

Fortsetzung S. 136

Zwiebel und Knoblauchzehen abziehen und würfeln.
1 Eßl. Butterschmalz in der Pfanne zerlassen, Zwiebel- und Knoblauchwürfel darin andünsten.
Die Champignons putzen, waschen, in Scheiben schneiden (größere Köpfe vorher halbieren). Die Pilze zu den Zwiebel- und Knoblauchwürfeln geben, etwa 3 Minuten dünsten lassen. Mit Salz und Pfeffer würzen. Die Crème fraîche unterrühren, 2–3 Minuten durchschmoren lassen.
Den Schinken in Streifen schneiden, hinzufügen, miterhitzen.
Die hinzugefügten Nierenscheiben kurze Zeit miterhitzen, mit Weinbrand flambieren, sofort servieren.
Beigabe: Baguette.
Getränk: Weißwein, z. B. ein Elsässer Riesling.

Salade aux champignons
Champignonsalat
(Foto S. 137)

| 150 g durchwachsener Speck |
| 1 Eßl. Butter |
| 3 Scheiben altbackenes Toastbrot |
| 1 Knoblauchzehe |
| 2 Frühlingszwiebeln |
| 3 Eßl. Himbeer- oder Weinessig |
| Salz, weißer Pfeffer |
| 3 Eßl. Walnußöl |
| 3 Eßl. neutrales Pflanzenöl |
| ½ Kopf Eichblattsalat |
| ½ Kopf Friséesalat |
| 150 g frische weiße Champignons |
| 150 g frische braune Champignons |

Den Speck in feine Streifen schneiden und in der Butter langsam auslassen.
Die Brotscheiben mit der abgezogenen, halbierten Knoblauchzehe einreiben, fein würfeln, zu dem Speck geben und unter häufigem Rühren goldbraun rösten.
Die Frühlingszwiebeln putzen, waschen und in ganz feine Ringe schneiden.
Den Essig mit Salz und Pfeffer verrühren und mit dem Öl zu einer Sauce vermischen.
Von dem Salat die welken Blätter entfernen, die anderen vom Strunk lösen, die Salatblätter unter fließendem kaltem Wasser abspülen, trockenschwenken, auf Serviertellern anrichten und mit etwas Sauce beträufeln.
Die Champignons putzen, nicht waschen, in dünne Scheiben schneiden, in die Mitte der Salatteller häufen, mit der restlichen Sahne überziehen und mit Pfeffer übermahlen. Die Knoblauch-Croutons und den gut abgetropften Speck darüber verteilen und mit den Zwiebelringen garnieren.

Tip: Den Salat als Vorspeise oder als Beilage zu dunklem Fleisch servieren (z. B. Rindfleisch, Fasan, Reh).

Rezeptverzeichnis, französisch

Rezeptverzeichnis, deutsch